Een overdosis drama

Een overdosis drama

Loes Hazelaar

lannoo

Aan de Liefde

A well of love,
it may be deep,
we trust it is
and never dry.

William Shakespeare

Voor Herbert, Jasper en Floris.
Met veel dank aan dokter Nico van der Lely, kinderarts
Reinier de Graaf Gasthuis Delft, voor zijn
hartelijke medewerking.
Met diepe bewondering voor William Shakespeare,
wiens 'Love's Labor's Lost' ik fragmentarisch vrij heb
vertaald en gebruikt in deze roman.

www.lannoo.com/kindenjeugd

© Uitgeverij Lannoo nv, Tielt, 2008
Copyright text © 2008 by Loes Hazelaar
Omslagontwerp Studio Jan de Boer
Zetwerk Scriptura
D/2008/45/322
ISBN 978 90 209 7799 8
NUR 284

Felix – De zoon van

Vrijdag 12.15

'Felix, dit zijn geen grapjes. Je komt maar de helft van de lessen opdagen. Als je niet uitkijkt, blijf je dit jaar weer zitten en dan moet je van school. En nu ben je er alwéér uitgestuurd. Wat is er toch met je aan de hand?'

Felix hoort de saaie stem van Griffers, brommend als een snorfietsje. Felix is het zat – zo zat als na een halve fles wodka ongeveer – om steeds die preken te moeten aanhoren. Hij neemt zijn mentor met toegeknepen ogen op. Hoe kan hij deze figuur nou serieus nemen? Een mentorretje is het, een conrectorretje, klein achter zijn grote bureau in zijn kleurloze kantoortje. Blonde slappe haartjes, pieterig snorretje en gebogen schouders. Zal hij hem uitdagen voor een potje armpje-drukken? Wedden dat hij het wint van die mug. Felix kan maar net een giechel binnenhouden. Kappen, serieus zijn, waarschuwt hij zichzelf streng. Griffers kijkt hem opeens strak aan, zijn ogen priemend. Plotseling is Felix op zijn hoede. Hij heeft niet geluisterd, wat zei Griffers? Wat heeft hij gemist? Als die stumper maar niet gaat vragen of hij zijn laatste woorden herhaalt, zoals hij in de les Nederlands altijd doet. Waanzinnig irritant is dat. Felix werkt zich haastig overeind uit zijn hangende houding en trekt zijn voeten onder de stoel.

'Felix, ik heb er genoeg van! Je hoort geen woord van wat ik zeg. Heb je geblowd of zo? Ik geef het op, je gaat maar naar de rector.'

Verdomme, die vent is gestoord, om hem voor zoiets kleins naar de rector te sturen!

'Meneer, ik ben deze week maar twee keer te laat gekomen! Het is vrijdag vandaag, ik kan niks verkeerds meer doen want de week is voorbij. Het is hartstikke lu… niet eerlijk dat ik nu naar de rector moet', sputtert Felix tegen. Griffers beweegt zijn hoofd alsof hij een lastige vlieg af wil schudden.

'Nee, ik heb er meer dan genoeg van. Jij neemt niets en niemand serieus. Je zou een voorbeeld aan je zus moeten nemen, die zet zich tenminste in. Jij zweeft maar wat rond. Hoe vaak heb je de laatste maanden al niet tegenover me gezeten? Je bent onderhand vaker hier dan in de klas. En zowel daar als hier steek je niks op. Misschien dringt de rector wél tot je door. Ik had je graag zelf tot rede willen brengen, maar dat lukt gewoon niet.' Griffers klinkt teleurgesteld en bijna verontschuldigend, merkt Felix. Hij krijgt Griffers vast wel weer zover dat hij hem laat gaan. Voor de zoveelste keer.

'Meneer Griffers, ik luister… écht! Zeker weten dat ik ga opletten. En ik kom voortaan op tijd in de lessen. Geef me nog één kansje', probeert Felix. Hij geeft Griffers een knipoog om hem vriendelijk te stemmen. Dat ziet Felix zijn vader ook vaak doen wanneer die gasten ontvangt: handen schudden, veel glimlachen en heel veel knipogen. Allemaal theater, nee, een truttige poppenkast is het. Zijn eigen knipoog valt ondertussen helemaal verkeerd, merkt hij.

'Zeg, wat denk jij wel? Een beetje lopen ginnegappen, je snapt nog steeds niet dat het menens is, hè? Ik bel meneer Otters nú op, nee, blijf jij maar zitten. Dan kan ik je direct vertellen wanneer je naar hem toe moet', commandeert Griffers kortaf. Zo vastbesloten heeft Felix hem nog niet eerder meegemaakt. Griffers' magere vinger tikt vinnig een nummer op het telefoontoestel.

'Ja, meneer Otters? Met Wim Griffers. Ik heb hier een leerling, Felix Verpoort. Het lijkt me goed als u een gesprek met hem voert.'

…

'Ja, inderdaad, de zoon van.'

Felix knijpt zijn handen samen. Altijd is hij de zoon van of de broer van. Hij krijgt een aandrang om met zijn vuisten op het bureau voor hem te knallen, te schreeuwen: Ik ben ík, Felix! Nee, hou je gedeisd, Fix, kalmeert hij zichzelf.

…

'Goed, ik zal zijn vader bellen. Dan kunt u ze samen spreken, uitstekend idee. Ja, om drie uur. Nog een goedemiddag.'

Felix verschuift op de stoel. Shit! Dit gaat fout. Die Otters heeft lef, loopt in een strak pak, rijdt in een grote bak en heeft het voor het zeggen. Hij wil niet naar Otters en zeker niet samen met zijn vader. Die weet van niks en dat moet zo blijven. Felix voelt zijn maag opspelen bij het idee dat hij straks in zo'n rotkantoortje bij twee van die betweters moet zitten. Ze zullen praten alsof hij er niet bij is, doen alsof hij niet bestaat. Maar ze zullen het wel steeds over hém hebben. Over Felix, de mislukte zoon en broer, de slechte leerling, de sukkel. Maar wat weten zij ervan… helemaal niks weten ze van hem. Felix laat zijn kin in zijn hand steunen en kan een nerveuze giechel maar net smoren. Griffers legt de hoorn neer en staart hem somber aan.

'Het lachen zal je straks wel vergaan, Felix', zegt hij mat, alsof hij net een gevecht heeft verloren. Felix haalt zijn schouders op en antwoordt: 'Tja, volgens mijn vader is het leven geen lolletje. Behalve voor hemzelf dan. Hij gaat met mijn moeder naar Cannes, ze vertrekken', Felix kijkt grijnzend op zijn horloge, 'over een paar uur. Hij redt het vast niet om hier om drie uur te zijn. Maar, succes.'

'Zorg jij nou maar dat je op tijd bij het kantoor van meneer Otters bent', zegt Griffers kortaf.

'Yep', belooft Felix, terwijl hij opstaat. Ik dacht het niet, denkt hij erachteraan. Het duizelt in zijn hoofd als hij naar de deur loopt. Shit, hij had die joint daarnet niet moeten nemen, die valt helemaal verkeerd. Op de gang haalt hij een paar keer diep adem. Dan loopt hij haastig de trappen af naar de aula. Zijn ogen schieten even naar links – het groepje bij het toneel – en dan kijkt hij weer voor zich. Aanstellers, zijn zus voorop. Hij klost door de aula, struikelt bijna over een stoelpoot, gooit geërgerd de klapdeur open en loopt het schoolplein op. Het is pauze, verspreid over het plein staan leerlingen. Een meisje roept zijn naam maar hij negeert haar. Wegwezen hier. Frietje scoren in de stad. Hij haalt zijn fiets uit de stalling en racet het plein over. Klote dat hij zijn scooter niet meer heeft, anders had hij nu nog veel harder kunnen gaan. Zonder helm, de wind om zijn kop, lekker.

Als hij de straat opfietst, voelt hij zijn mobiel in zijn broekzak trillen. Hij remt, stopt en trekt het apparaat tevoorschijn.

'Fix', zegt hij hijgend.

'Ha battieboy, gaat het door zondag?' hoort hij een zware stem.

'Hey Gus. Zeker weten, man', antwoordt hij.

'Drie uur?'

'Yep', zegt Felix.

'Is er van alles genoeg?' vraagt Gus grinnikend.

'Wat dacht je', antwoordt Felix met een glimlach, 'ik heb het rijk alleen.'

'Cool. Goed als ik wat vrienden meeneem?'

'Hoe meer hoe beter. Zolang ze betalen, vind ik het best.'

'Klasse', galmt Gus in zijn oor en laat een brullende lach horen.

'Zie je dan', sluit Felix het gesprek af.

De lach van Gus golft nog door zijn oren. Breed en groot is Gus. Hij is 17 – net zo oud als hijzelf – maar hij lijkt wel 20, vindt Felix. Alleen heeft Gus het verstand van een bierviltje. Als ze gaan stappen, is het veilig om Gus in de buurt te hebben, dan komt zijn enorme lichaam goed van pas. Hij kan ook lekker doordrinken en gangmaken op feestjes. Maar zijn eigen brave zusje, denkt Felix, kan dat niet. Die gaat vast problemen maken als ze van zondag te weten komt. Wat is slimmer: zijn mond houden of juist niet? Nee, het is beter om het te vertellen, maar dan wel het geschikte moment kiezen. Eigenlijk moet hij zijn pa ook nog spreken voordat die naar Cannes vertrekt. Griffers zal nu wel allerlei idiote verhalen aan het ophangen zijn aan de telefoon, hij moet zijn pa ervan overtuigen dat Griffers overdrijft. Kom op, Fix, naar huis. Pappie en mammie zijn nu vast aan het inpakken of aan het lunchen. Zelf blijft hij eigenlijk altijd over op school of gaat hij snacken in de stad; dit is de eerste keer in jaren dat hij tussen de middag naar huis gaat. Waarom zou hij ook? Meestal is er niemand. Hij en zijn zus wonen eigenlijk al jarenlang op kamers thuis. Pappie leeft achter zijn notenhouten bureau en mammie hangt meestal rond met vriendinnen op de tennisbaan, de golfbaan, in de stad of bezoekt zuigdokters en spuitspecialisten die haar allemaal wijsmaken dat ze 'jaren jonger lijkt dan haar veertig, sinds de lipo en lift'. Ze gelooft echt alles, ze heeft de diepgang van een waterfiets.

Hij maakt vaart, slaat links af en volgt met zijn fiets de bosrand. Een kwartier later passeert hij een smeedijzeren hek en slaat rechts af een oprijlaan in. Twee rijen oude eiken staan aan weerszijden op wacht langs de bochtige laan. Rechts van de laan slingert een bospad naar het roodhouten boothuis, dat in de verte tussen de donkere stammen bij de waterkant staat. Sterretjes flonkeren door de schemer van het bos, het is de schittering van de zon op de golvende vaart, weet hij. Hij fietst verder in de schaduw van het ritselende blad en wordt rustiger. Goed zo, relax. Een groot landhuis doemt op. Rode baksteen, rieten dak, donkergroene luiken. Hij rijdt naar de garage en zet zijn fiets keurig op de standaard.

Als hij de hal in loopt, hoort hij de stemmen van zijn ouders vanuit de eetkamer. Zijn vader praat altijd nadrukkelijk en kalm, alsof hij een toespraak houdt. Zijn moeder klinkt meestal buiten adem, hoog, snel en hijgerig. Als ze opgewonden is, snijdt haar stem als een flikkerend mes de lucht aan flarden. Gelukkig bedaart ze zichzelf regelmatig met kalmeringspillen.

'Wat zei die leraar nou precies?' vraagt ze schel.

'Dat hij graag heeft dat ik vanmiddag kom praten', legt zijn vader geduldig uit.

'Maar dat kan niet, dat lukt niet, dan missen we het vliegtuig en…', werpt zijn moeder tegen.

'Rustig nou maar! Ik heb gezegd dat ik kom als we terug zijn. We landen dinsdag rond twaalven en woensdagmiddag om drie uur heb ik met de rector afgesproken', antwoordt zijn vader bedaard.

'Wat zou er aan de hand zijn?'

'Niets ernstigs, neem ik aan. Meneer Griffers had het over spijbelen. Maar hij heeft liever dat ik het met de rector bespreek', hoort Felix zijn vader zeggen. Mooi zo, dat klinkt prima. Ze zullen met een gerust hart vertrekken, het loopt gesmeerd zo.

'Hoi', zegt Felix vrolijk terwijl hij de eetkamer binnenloopt.
Zijn moeder neemt net een hap van een broodje en vergeet
van verbazing haar mond te sluiten.

'Felix, jij hier?' vraagt zijn vader met opgetrokken wenkbrauwen. 'Niet dat ik het niet leuk vind je te zien', herstelt hij zich
snel.

'Ik dacht, ik kom jullie nog even een goede reis wensen', zegt
Felix en ploft op een van de vijf stoelen aan de lange zijde van
de tafel neer. Zijn handen raken de krant die midden op tafel
ligt. Vluchtig leest hij wat koppen: *Wethouder in overleg met
horeca: alcohol aan banden* '*Fusie van scholen op tocht*'. Doodsaai.

'Dat is lief van je, Felix,' zegt zijn moeder, 'eet wat mee. Je ziet
bleek.'

Felix schudt zijn hoofd en mompelt: 'Beetje verkouden.'

'We zijn gebeld door school…' begint zijn vader.

'O, niks aan de hand, hoor', reageert Felix snel, 'ze zijn overdreven streng de laatste tijd. Voor een keertje spijbelen worden
ouders al gebeld.'

'Maar…' wil zijn vader verdergaan.

Zijn moeder gebaart naar zijn vader. 'Ach, laat toch, Rens, we
hebben het er wel over als we terug zijn. Felix, zul je goed op
het huis en je zus passen?' vraagt ze.

'Tuurlijk, gaan jullie maar gerust, hoor', zegt Felix.

'Dat doen we ook. Maar omdat het de eerste keer is dat we jullie zo lang alleen laten, heb ik voor de zekerheid tante Eva gevraagd om een oogje in het zeil te houden', zegt zijn vader.

Felix balt zijn vuisten onder tafel. Shit! Die is hartstikke bijdehand, die komt zeker spioneren. Verdomme, dan kan hij zondagmiddag wel vergeten. Als tante erachter komt, gaat het
feest vast niet door. Maar het moet!

'Dat is echt niet nodig, hoor', reageert Felix zo kalm mogelijk.

'Het is ook voor je zus, Felix. Anders voelt ze zich misschien alleen. Je weet hoe gevoelig ze is', zegt zijn moeder. Gevoelig… een aanstelster is het, denkt Felix giftig.

'Goed, als jullie het nodig vinden', dwingt Felix zich te zeggen.

'Ja, het lijkt ons beter', antwoordt zijn vader. Felix knikt.

'Heeft tante Eva een sleutel van het huis?' vraagt Felix terloops.

'Nee, ik heb haar beloofd dat jij die zult brengen. Doe je dat vanmiddag na school even?' vraagt zijn vader. Felix knikt. Zijn vader staat op en loopt naar zijn studeerkamer. Zijn moeder schenkt nog wat thee in. 'Jij ook een kopje?' vraagt ze. Felix schudt zijn hoofd en glimlacht gedwongen. Zijn vader komt terug met een sleutel en een papiertje.

'Kijk, dit is het nummer van mijn nieuwe mobiel. Jullie mogen altijd bellen, vergeet dat niet', zegt hij en geeft Felix de sleutel en het briefje. Felix propt ze in zijn broekzak.

Zijn moeder zet haar kopje neer en kijkt alsof ze opeens een geweldig idee krijgt. Ze roept: 'Rens, we kunnen net zo goed nú vertrekken! Dan hebben we wat meer tijd om te winkelen op Schiphol. Felix weet van de sleutel en hij heeft je nummer, dus dat is in orde.' Haastig dept ze met een linnen servet haar mondhoeken.

'Jenny, die paar uurtjes maken toch niet uit. Het lijkt me beter om nog even op Sofie te wachten', protesteert zijn vader.

'Nee, laten we nú gaan. Dan hoeven we ons niet te haasten. Dat is voor jou ook veel fijner', antwoordt zijn moeder, terwijl ze het servet op de tafel gooit.

'Ja, dat is waar', antwoordt zijn vader weifelend.

'O Felix… wil jij je zus dan doorgeven dat we wat eerder vertrokken zijn?' vraagt zijn moeder.

'Best', antwoordt Felix, terwijl hij overeind komt van de stoel, 'ik moet weer naar school.'

'Heel goed, schat, tot dinsdag dan', zegt zijn moeder hem terwijl ze opstaat. Ze loopt naar hem toe en geeft hem een zoen op zijn wang. Bah! Zijn vader volgt hem naar de voordeur en omhelst Felix kort en onwennig. Klef.

'Tot dinsdag, jongen, we zijn rond twaalven terug. Aardig dat je nog even afscheid kwam nemen.'

'Tuurlijk, pap', antwoordt Felix glimlachend. Hij loopt naar zijn fiets.

'Felix, wacht…' roept zijn vader.

Felix draait zich om en kijkt zijn vader vragend aan.

'Als je scooter dinsdag nog niet door de politie is gevonden, kopen we samen een nieuwe voor je. Het is niet jouw fout dat hij gestolen is, jij hoeft niet te lijden onder andermans misdaad', besluit zijn vader.

Felix steekt zijn duim op. 'Tof, pap, bedankt!' Dan spring hij op het zadel, wuift nog een keer en rijdt weg over de oprijlaan. Yes, zomaar een nieuwe scooter gescoord! Hij grinnikt zacht. Maar nu tante Eva; hoe komt hij van haar af?

Als hij de oprijlaan verlaat en de grote weg op rijdt, trilt zijn mobiel in zijn broekzak. Hij stopt en vist het toestel uit zijn zak. Zodra hij de stem herkent, voelt hij de haartjes in zijn nek kriebelen.

'Zondagavond zes uur moet je afbetalen, weet je nog? En we houden je in de gaten, maatje. We accepteren alleen gewonnen geld, zo zijn de regels van het spel.'

Felix slikt en antwoordt: 'Ja, ja, dat weet ik, geen probleem. Ik geef zondagmiddag een feestje, mijn ouders zijn weg. Grof spelen, het geld gaat binnenstromen. Ik zit alleen nog met een tante…'

'Een tante? Een pottenkijkster, bedoel je? Geef haar adres maar, dan lossen wij dat wel even voor je op', stelt de stem op een gemoedelijke toon voor.

'Neuh, dat kan ik zelf wel', reageert Felix haastig, 'dat feestje gaat wel door, hoor, daar zorg ik voor.'

'Klinkt prima. Luister, omdat jij het bent, vriend, wil ik je een kans geven om in één keer van je schuld af te komen', biedt de stem joviaal aan.

'Hoe dan?' vraagt Felix hees. Hij schraapt zijn keel.

'Vanavond om zeven uur bij de Hangar, dan merk je het wel. Als je wint, is je schuld betaald. Als je verliest, betaal je zondagavond het dubbele. Jouw keus, vriend.'

De huid op Felix' onderarmen prikt en hij voelt weer een giechel opkomen – als een kriebelende niesbui – die hij maar net kan onderdrukken. Verdomme, wat moet hij doen? Hij had dat laatste stickie niet moeten nemen. Het is of zijn hersenen scheel kijken, hij krijgt zijn denken niet helder. Hij probeert zich te concentreren. De kans om in één keer van zijn schuld af te komen, kan hij eigenlijk niet laten lopen. Toch? Dat hij de vorige keren verloor, was stomme pech. Als hij vanavond wint, is hij van al het gezeik af. De gedachten sprinten door zijn hoofd en stoppen bij de finish. Ja, hij heeft zijn besluit genomen.

'Ik zal er zijn, Ludo', antwoordt hij.

De stem grinnikt loom en het gesprek wordt afgebroken. Felix denkt koortsachtig na, zijn vingers trommelen op het mobieltje. De Hangar is te ver om te fietsen, Gus heeft een scooter. Ja Gus, hij zal Gus bellen en vragen of hij meegaat. Die is te dom om bang te zijn en sterk genoeg om te helpen als het nodig is. Felix weet niet wat hij kan verwachten vanavond. Maar dat hoort bij het spel. Wedden in het wilde weg.

Sofie – De repetitie

Een beetje manisch zijn, met kohl-omrande ogen en strijk-
ijzersteile haren tot op haar kont. Een beetje zoals Ina eruitziet, alleen wat gewaagder. Mysterieus, Gevaarlijk, Avontuur-
lijk. Acteren in een vage *film noir* die niemand begrijpt en die
daarom alle belangrijke prijzen wint. De Oscar ontvangen in
het bijna-niks-an-jurkje dat ze gisteren zag hangen in Xstream.
Eindelijk eens opvallen, niet langer opgaan in het niets. Een
nieuwe stoere sexy look… zal ze durven? Ja! Als haar ouders
vanmiddag vertrokken zijn, gaat ze dat jurkje kopen en het iedere dag dragen en misschien zelfs 's nachts in bed.
'Sofie, wake up!' Jikke geeft een duw tegen haar arm. Met een
ruk zit Sofie rechtop. Het bundeltje papier op haar benen
glijdt bijna op de grond.
'Kijk eens wie daar loopt', fluistert Jikke in haar oor, terwijl
haar vingers in Sofies bovenbeen knijpen.
Een slanke jongen met donkerbruin haar loopt haastig door
de aula. Hij passeert hen op tien meter, de hele groep wordt af-
geleid door zijn luidruchtige stap. Hij raakt met zijn schoen
een plastic stoel, misschien met opzet, en piepend schrapen de

stalen poten over de stenen vloer. Sofie volgt hem met haar ogen, hij zwalkt een beetje. Zwaaiend met zijn armen en bonkend op zijn schoenen loopt hij naar de buitendeur, trekt hem ruw open en laat hem achter zich dichtvallen.

'Ja, ik zie hem', reageert ze.

'Echt een hunk, die broer van je', fluistert Jikke verhit.

Sofie richt haar aandacht op de kleine, magere man die voor de halve cirkel stoelen staat. In de eerste is hij haar leraar Engels geweest. Op de allereerste schooldag was ze onhandig over haar eigen voeten gestruikeld en languit voor zijn bureau neergekwakt, als duivenpoep op een stoep.

'Tja, zo'n eerste dag op een middelbare school is altijd even wennen', had Bruno Vrens vriendelijk gezegd toen hij haar overeind had geholpen. Dat had ze zelf ook gevonden, zeker op zo'n grote middelbare school als het Alonsus. In het begin had het als een te diep bad gevoeld, het was of ze erin verdronk. Maar het wende en al snel liep ze mee tussen de rest van de tweeduizend leerlingen. Een leger van wazig kijkende zombies, denkt ze soms, wat er werkelijk in al die hoofden omgaat, is de vraag. *That's the question*, schreef Shakespeare lang geleden. Maar wat zich onder Jikkes blonde krullen afspeelt, is nooit een raadsel, weet Sofie. Glitter en glamour, het moet daarbinnen oogverblindend schitteren. En jongens, natuurlijk, daarmee is het er overbevolkt. Vrens klapt in zijn handen en iedereen zwijgt aandachtig.

'Dit toneelstuk van Shakespeare houdt, zoals jullie weten, het midden tussen een tragedie en een komedie. Licht drama is het. 'Love's labour's lost' dat ik heb vertaald als 'De liefde verliest'. Het is van een alledaags realisme. Onbaatzuchtige liefde wordt overwoekerd door lust, bedrog en eigenbelang. Eer en opoffering worden, net als zeldzame diersoorten, met uitsterven bedreigd. Ook toen al, in de zestiende eeuw van Shakespeare. Zeg, beseffen jullie eigenlijk wel dat jullie zelf ook weer teruggezet zijn in de tijd? Terug naar de middeleeuwen, toen er geen jeugd bestond. Want als jongere van nu moet je immers zo snel mogelijk volwassen zijn, uitgaan vanaf middernacht, drinken op je elfde, seks op je twaalfde...' mijmert Vrens hardop. Iedereen lacht, maar Sofie schudt haar hoofd ontkennend. Vrens knikt haar even vriendelijk toe.

'Enfin, zet jullie spel niet te zwaar aan. Shakespeare wist met zijn teksten zelfs het grootste lijden te verlichten. Het stof der eeuwen neemt niets weg van de kracht van zijn humor. Die luchtigheid, ladies and gentlemen, moeten jullie erin zien te houden. Let's begin.'

Stommelend staan ze op en lopen naar het podium, voor in de aula. Vijf jongens en vier meisjes. Maar er is niemand bij die zo hartstochtelijk graag acteert als zij, dat weet ze zeker. Zodra ze op het toneel staat, glijdt ze moeiteloos haar personage binnen: een valse heks, de goede fee, het dienstmeisje. Dat zijn de rollen die ze tot dusver gespeeld heeft. Jikke doet altijd mee voor de lol en is tevreden met een bijrolletje maar zijzelf hunkert altijd naar een hoofdrol. En deze keer is het gelukt. Ze is de prinses.

'Echt een rol voor jou', had Jikke grijnzend gezegd, toen ze het hoorden, 'mooi en braaf.'

'Ken je het verhaal?' vroeg Sofie.

Jikke had haar hoofd geschud.

'Dacht ik al. Zo braaf is die prinses niet, hoor. Ze verleidt samen met haar hofdames de koning en drie edelmannen om hun eed te breken. Die hebben gezworen om drie jaar lang serieus te studeren zonder feestjes en vrouwen. Maar de mannen worden natuurlijk hopeloos verliefd en proberen de dames met allerlei listen te verleiden. De koning wil met de prinses trouwen maar zij vindt dat hij eerst maar eens moet bewijzen dat hij zijn trouwbelofte wél kan houden en laat hem een jaar op haar jawoord wachten', had Sofie uitgelegd.

'Totaal niet mijn stijl, waarom wachten? Doe mij maar nú en heftig', had Jikke grinnikend gereageerd, 'trouwen is iets voor over honderd jaar of zo.'

'Dear friends, we hebben geen tijd te verliezen: morgen een repetitie, overmorgen de laatste repetitie, maandag de generale, dinsdagavond de première. Let's start', spoort Vrens enthousiast aan. Sofie beklimt het trapje naar het toneel, gevolgd door Jikke.

'O, voor ik het vergeet. Maandagavond komt een oude vriend van me kijken. Hij is directeur van de toneelacademie. Dus wie ervan droomt ontdekt te worden, moet dan extra goed zijn best doen. Wie weet, vallen jullie bij hem in de smaak', zegt Bruno luid. Hij knipoogt naar Sofie, haar hart huppelt even. Jikke geeft haar een duwtje.

'Loop eens door, je kunt een koning niet laten wachten. Zeker niet als het zo'n lekker ding is als Dolf', fluistert Jikke in haar oor.

Ze hoort Jikkes woorden maar half en klimt het grote podium op. Maandag, dát is haar kans! Als die directeur haar ziet spelen, kán het niet anders dan dat ze opvalt. Hij zal haar misschien wel uitnodigen om op zijn school te komen. Sofie keert zich om naar Vrens en vraagt zo achteloos mogelijk: 'Hoe heet uw vriend?' Haar keel voelt droog en haar hart bonst terwijl ze wacht op zijn antwoord.

'Victor Sanderein', antwoordt hij met een brede glimlach. Ze voelt een blos opkomen en slaat haar ogen neer. Dolf kucht en neemt een diepe teug adem. Zijn borst zwelt en hij richt koninklijk het woord tot Evert, Luuk en Pim, de drie edelmannen. Sofie luistert ademloos naar zijn woorden. Ze is dol op

Shakespeare – zijn teksten zijn nog steeds zo waar en grappig –
maar bij haar thuis begrijpt niemand waarom. 'Ik vind Kluun
veel leuker', zei haar moeder zonder veel belangstelling. Jikke
begrijpt het ook niet. 'Trollengebral' noemde ze de oorspron-
kelijke oud-Engelse tekst toen Vrens die een keer voordroeg.
Nu spelen ze het drama in een aangepaste moderne vertaling.
'Anders vallen zowel jullie als het publiek in slaap', had Vrens gezegd. Zijzelf niet, dat weet ze zeker. Dolf is de enige die hetzelfde voor Shakespeare lijkt te voelen als zij. Hij zegt, terwijl hij de
drie edellieden die om hem heen staan, een voor een aankijkt:

Jullie drie; Berowne, Dumaine en Longaville,
hebben gezworen drie jaar met mij te studeren
en op strenge voorwaarden met mij samen te leven.'

Luuk – hij speelt de opstandige edelman Berowne – haalt Sofie uit haar betovering. Hard schalt zijn stem, terwijl hij op een
papier in zijn hand wijst:

'Maar sire, moeten we de regels,
beschreven in dit contract,
werkelijk zo serieus nemen?
Studie en vasten, geen dames en slaap,
dat is te veel om vol te houden!'
roept Berowne verontwaardigd.

De koning antwoordt streng:
'Je hebt je woord gegeven, Berowne.'

'Maar dit gaat te ver! Want wat is nu eigenlijk het doel van stu-
die?'
vraagt Berowne uitdagend aan de koning.

'We studeren om dingen te weten
die we anders niet zouden weten,
weten is de beloning van studie',
reageert de koning.

Berowne kijkt peinzend en zegt dan:
'Dus als ik het goed begrijp,
moet ik zweren om te leren
wat ik eigenlijk niet mag weten
want alles wordt me verboden in dit contract!'

De koning zucht van ergernis:
'Ga dan, Berowne, als je je eed niet kunt houden. Vaarwel.'

Berowne buigt zijn hoofd en antwoordt:
'Nee, sire, ik heb gezworen bij u te blijven,
ik zal iedere dag van die drie jaren verduren.'

Dan brengt Berowne het papier dicht bij zijn ogen, tuurt erop
en vraagt verwonderd:
'Maar wat lees ik hier?
Geen vrouw mag op het kasteel komen,
anders wordt haar tong verwijderd?'

'Dat is om ze op een veilige afstand te houden',
zegt de koning streng.

'Maar sire, de prinses van Frankrijk is onderweg naar hier,
ze komt u bezoeken om zaken te bespreken, haar vader is doodziek,
u zult die regel dus binnenkort al moeten breken.
Dat bewijst maar weer eens hoe zinloos uw strenge studie is:

terwijl u regels maakt en bestudeert wat er in de boeken staat,
vergeet u de dingen die u hier en nu moet onthouden',
zegt Berowne grijnzend.

Sofie denkt na over de laatste woorden terwijl Vrens waarderend in zijn handen klapt. Is studie zinloos? Nee, zonder studie zou niemand een rol uit het hoofd kunnen leren, dan zouden ze hier niet eens zijn. En zou zij het kunnen: zo'n eed zweren en zich eraan houden? Ze knijpt haar lippen samen. Jikke zou zeggen dat het voor haar een makkie is omdat ze altijd al keurig leeft: ze stapt weinig, leert veel, neemt geen drank of drugs, heeft geen vriendjes. Nee, het zou voor haar inderdaad geen opgave zijn, peinst Sofie. Iets wordt pas een opoffering als je het echt zou missen als je het opgaf. Toneelspelen, dat is voor haar onmisbaar, zonder dat zou ze niet kunnen. Sofies ogen zwerven over het podium, naar de zaal toe. Straks zit het daar vol en zal Victor Sanderein waarschijnlijk een stoel op de eerste rij bezetten. Hij zal iedere beweging van haar kunnen volgen, iedere stembuiging horen. Ze zucht van verwachting en richt haar gedachten weer op het toneel. Jikke, in haar rol van hofdame Rosalinde, schraapt haar keel en kijkt ondeugend naar Luuk, klaar om hem te verleiden.

De twee lesuren na de pauze kruipen voorbij. Altijd als ze toneel heeft gespeeld, tintelt het vanbinnen – als bruisend badschuim – en kan ze maar moeilijk stil blijven zitten. Gelukkig, de bel. Ze springt op en grijpt haar tas.
'Wie het eerste bij de fietsen is', daagt Jikke haar vrolijk uit. Ze rennen de trap af naar de aula, Jikke is net iets sneller beneden. Net als ze Jikke door de auladeur wil volgen, voelt Sofie een hand op haar schouder. Ze draait zich om. Griffers staat achter haar en kijkt haar streng aan. Zijn anders zo bleke wangen

zijn rood en hij vraagt kortaf: 'Weet jij waar je broer is? Hij moest om drie uur bij de rector zijn en hij is niet gekomen.'

Ze voelt haar ogen groot worden van verbazing.

'Nee, ik weet niet waar Felix is. Ik zag hem tussen de middag wel even maar ik heb hem niet gesproken. Heeft hij iets verkeerds gedaan?' vraagt ze bezorgd.

Griffers blik wordt vriendelijker.

'Daar hoef jij je geen zorgen over te maken, Sofie. Fijn weekend.'

Sofie knikt en antwoordt: 'U ook.'

Ze loopt door de deur naar buiten, waar Jikke staat te wachten.

'Wat had-ie?' vraagt Jikke nieuwsgierig.

Sofie haalt haar schouders op. 'Ik weet het eigenlijk niet. Felix moest naar de rector maar hij is niet gegaan. Griffers leek nogal kwaad.'

'Ach, ze zijn hartstikke streng de laatste tijd, het zal wel niks zijn', reageert Jikke.

Sofie ziet Felix in haar herinnering weer door de aula lopen, onvast op zijn benen. Zou het wel goed met hem gaan? Ze spreekt hem maar zo zelden, hij is bijna altijd weg. En waar weg is, weet ze niet. Zwijgend loopt ze achter Jikke aan naar de fietsenstalling.

'IJsje halen bij de Italiaan?' vraagt Jikke.

'Nee, ik moet naar huis. Mijn ouders vertrekken zo naar Cannes', antwoordt Sofie.

'Jouw ouders doen tenminste nog eens iets spannends. De mijne komen niet verder dan hun stacaravan in Holten', zucht Jikke overdreven.

Sofie glimlacht en pakt haar fiets.

'Zullen we vanavond iets leuks doen? Shoppen of zo?' stelt Jikke voor.

'Ja, goed plan. Ik wil naar Xstream. Daar heb ik een leuk jurk-
je gezien.'
Jikke kijkt haar met grote ogen aan.
'Jij?! Een jurkje van Xstream?'
'Ja, ik. Ga je mee of niet?'
'Zeker weten! Zeven uur voor de winkel?'
'Afgesproken, zie ik je daar. Vraag jij of Ina ook meegaat?' Jik-
ke knikt.
Sofie stapt op, zwaait naar Jikke en fietst snel weg. Haar ouders
vertrekken om halfvier naar Schiphol, had haar moeder van-
ochtend gezegd. Ze moet opschieten.

Een kwartiertje later fietst ze de laan door en verschijnt het
huis in de verte tussen de bomen. Het is zo groot, steeds opnieuw verbaast het haar dat ze er zelf woont. Acht kamers voor
een gezin van vier, belachelijk eigenlijk. Een deel van het huis
is maar in gebruik, er wordt nooit gespeeld in het zwembad of
op het grasveld. Zal ze voor de gein daklozen uitnodigen voor
een poolparty dit weekend? Wat een wilde ingeving opeens.
Het lijkt wel of de toneelrepetities haar een avontuurlijke in-
jectie geven, de rol geeft haar lef. Het effect is misschien te ver-
gelijken met het roken van een joint of dronken zijn, heeft ze
wel eens gedacht. Misschien zou ze het eens moeten uitprobe-
ren, ze is tenslotte al bijna zestien. Pff, haar vader zou haar kil-
len, die is nogal antialcohol de laatste tijd. Eigenlijk sinds de
vechtpartijen bij de Hangar. Dat geknok onder jongeren
wordt veroorzaakt door te veel alcohol, had haar vader gemop-
perd, horecaondernemers zouden niet zoveel moeten schen-
ken. Ze stopt voor de garage en het valt haar voor de zoveelste
keer op hoe stil het is rond het huis. Raar, de auto van haar vader is weg. Ze zet haar fiets tegen de garagemuur, loopt langs
de keuken en drukt de klink van de bijkeukendeur naar bene-

den. Op slot. Vreemd. Ze pakt haar portemonnee uit haar schooltas en haalt er de sleutel uit. Ze draait het slot open en stapt de bijkeuken binnen, de keuken door en de gang in.

'Mam, pap!' roept ze. Haar stem dwaalt door de hal, op zoek naar haar ouders. Waar zijn ze?

Ze kijkt om de hoek van de woonkamerdeur. Het hout van de parketvloer, tafels en kasten glanst diepbruin in de zon. Nog een paar minuten en dan zullen de zonweringen automatisch zakken voor de ramen, als oogleden die zich sluiten voor een middagdutje. Op tafel ontdekt ze een vel papier. Net als ze ernaartoe wil lopen, schrikt ze van de voordeurbel. Ze loopt de kamer uit, door de hal naar de grote houten deur en opent het luikje: een klein raampje met tralies ervoor. Er staat een jongen op de stoep en ze bekijkt hem aandachtig. Hij draagt een zonnebril, een zwart petje en een zwart T-shirt. Zijn broek kan ze niet zien maar ze raadt dat die ook zwart zal zijn. Hij lacht vriendelijk en knikt.

'Dag. Ik ben van de bewakingsdienst. We hebben een telefoontje gehad dat het alarm het niet doet.'

'Oh? Daar weet ik niets van', antwoordt ze verrast. Haar ouders weg en het alarm stuk?

Nee, zo zou haar vader hen niet achterlaten, vast niet.

De jongen grinnikt en zegt: 'Het zou ook bij de buren kunnen zijn, hoor. We hebben een nieuwe telefoniste en die moet nog wennen. Schrijft steeds de verkeerde nummers en adressen op, hopeloos', grijnst hij en haalt verontschuldigend zijn schouders op.

Ze knikt.

'Misschien kan ik even checken of alles het doet, dan weet ik het zeker', stelt de jongen voor.

'Ik weet niet…' antwoordt Sofie aarzelend. Moet ze hem wel binnenlaten? Ach, het is een jongen, hoogstens twee jaar ouder dan zij.

24

'Wat je wilt, hoor', zegt de jongen ontspannen.

'Ik denk dat mijn ouders het wel oké zullen vinden. Ze komen zo thuis, ik kan het ze nu niet vragen.' Ze sluit het luikje en opent de deur.

Hij lacht kort en komt binnen. Zijn spijkerbroek is inderdaad zwart.

'Je moet me even op weg helpen... waar is de alarminstallatie?'

'In die halkast', wijst ze. Terwijl ze hem voorgaat, rinkelt de telefoon. Ze verontschuldigt zich snel en hij antwoordt: 'Ik red me wel.'

Ze haast zich naar de keuken om de telefoon te beantwoorden. Het is tante Eva.

'Dag, lieverd. Moet je horen! Ik had straks Felix op bezoek. Enig hem weer eens te zien, hij komt zo weinig. Hij kwam me de sleutel brengen en ik ging thee zetten. Toen ik met het dienblad de kamer inliep, struikelde ik, zo stom! Die idioot hoge hakken van me ook. Verstuikte enkel... ik kan geen kant op. Dus in plaats van dat ik voor jullie zorg, moeten jullie nu voor mij zorgen. Zou je straks misschien wat geld voor me willen pinnen... Felix had nogal haast, die heb ik het maar niet gevraagd. Lieve jongen, hoor, maar wel een beetje nerveus, vind ik. Hij zag ook zo bleek. Slaapt hij eigenlijk wel genoeg?' vraagt tante Eva en laat eindelijk een adempauze vallen. Tante kent iedereen, doet overal aan mee en weet alles. Bijna alles. Of Felix goed slaapt? Sofie zou het eigenlijk niet weten. Hij is haar broer maar ze ziet hem minder vaak dan Jikke en Ina. Misschien kunnen Felix en zij de komende dagen meer dingen samen doen, neemt ze zich voor. Eten, boodschappen doen, samen tv-kijken of een keertje naar de bios of uitgaan. Ja, goed plan.

'Volgens mij wel, tante.'

Ze hoort gestommel bij de keukendeur en draait zich om. De

jongen in het zwart steekt zijn duim op en wuift een keer. Dan is hij weg.

'Ach kind, noem me toch Eva. Je bent al zo groot nu, ik voel me stokoud als je me tante noemt, zeker nu ik amper uit mijn stoel kan komen. Ik geef jou straks wel de sleutel van mijn voordeur, dan kan ik lekker lui blijven zitten dit weekend', lacht de stem van haar tante, 'vakantie in eigen huis. Daarvoor hoef ik niet helemaal naar Cannes!'

'Ik kom zo naar u... je toe, met een kwartiertje ben ik er', belooft Sofie.

'Geweldig, tot zo!'

Sofie legt de hoorn neer en hoort de voordeur dichtvallen. De jongen is vertrokken, zonder een woord over het alarm, raar. Nou ja, hij had in ieder geval een gebaar gemaakt dat alles oké was. Ze haalt even haar schouders op en loopt de woonkamer weer binnen, naar de tafel. Ze zet haar handen op het glanzende blad en buigt zich over de brief.

Lieve Sofie en Felix,

Jullie kunnen ons en tante Eva altijd bellen. Hier is 100 euro voor het weekend, eerlijk delen, koop er maar wat leuks van. Boodschappen kun je op rekening doen bij de Superkoop.

Kus, papa en mama.

Ze herkent het handschrift van haar vader. Het is zo te zien in haast geschreven. De gewoonlijk keurige ronde krullen lijken nu meer op vishaken. Haar ouders zijn dus al weg. Ze hebben niet even gewacht, geen afscheid genomen, zijn gewoon gegaan. Vast haar moeders idee, die heeft wel vaker van die 'ge-wel-di-ge' invallen. Ze voelt haar keel even knellen maar haalt dan diep adem en richt zich op. Ze zou er ondertussen aan gewend moeten zijn: afspraken die niet nagekomen worden, loze beloftes die als luchtbellen uit elkaar spatten. Niet met opzet, weet ze, maar omdat het zo loopt, omdat het zo gaat. Ze tilt het papier omhoog en vindt een biljet van vijftig euro. Felix zal zijn deel al wel gepakt hebben. Het geld komt in ieder geval van pas voor het jurkje. Ze propt het briefje in haar broekzak en recht haar schouders. Op naar tante Eva. Boodschappen doen en daarna spaghetti maken, besluit ze, want daar houdt Felix ook van. Gelooft ze, tenminste. Ze eten bijna nooit samen aan tafel, de keuken is een soort lopend buffet waar iedereen wat eet wanneer het zo uitkomt. Alleen op zondag lunchen ze met z'n allen in de eetkamer. Maar dat zit er dit weekend ook niet in. Ze loopt naar de keuken, pakt het krijtje uit het bakje op het aanrecht en schrijft op het zwarte bord naast de koelkast:

Fix, ben naar tante Eva en daarna kook ik spaghetti voor ons, later, Sof.

En daaronder, als geheugensteuntje voor zichzelf:

Toneel: zat. en zon. 11 uur
Maandag: generale 20 uur
Dinsdag: uitvoering 20 uur

Felix – Scherven

Tijd voor een blowtje, te helder in het hoofd hoeft nou ook
weer niet. Dat voelt te scherp, alsof een zoeklichtje zigzaggend
door zijn hersenen jaagt. Nu en dan flikkeren gedachten op.
Maar de wiet, weet hij, dooft ze snel weer en brengt rust in zijn
kop. Geen zorgen, man, alles komt goed. Felix ploft neer op de
grond, zijn kont in het gras, zijn rug tegen de warme stenen
muur van de jeugdsoos. Iets verderop trappen twee jongens
een voetbal over, ze letten niet op hem. Felix trekt nerveus
twee vloeitjes tevoorschijn uit het pakje, rolt een kartonnetje
op, pakt een plukje shag en verdeelt het in het flinterdunne papier. Hij strooit de wiet met trillende vingers over de donkere
tabak, rolt, likt en plakt. Perfect. Hij houdt het stickie omhoog en bekijkt het tevreden. Een vuurtje en paffen maar.
Hij inhaleert diep en zakt ontspannen achterover, met zijn
schouders tegen de stenen. Da's beter. Hij had zijn voet uitgestoken, iets onder zijn stoel vandaan, precies op het moment
dat tante Eva langs was gelopen op haar hoge hakken. Tante
Eva was met een gil voorover op de grond gevallen en de thee-
pot en kopjes waren haar achterna gezeild. Witte scherven in

een gele plas, net pies. Hij had op dat moment keihard kunnen lachen maar net zo makkelijk gillend kunnen huilen, pure zenuwen. Het is toch zijn tante. Maar ook een bemoeial. Ze had zich kreunend op een elleboog gewerkt en hem, met van pijn toegeknepen ogen, aangekeken, een lachje forcerend rond haar rode lippen: 'Zo verstandig dat jij geen hakken draagt, lieverd, je ziet wat ervan komt.' Hij was snel opgestaan en had haar overeind geholpen. Ze kon niet op haar rechtervoet staan, hij moest haar ondersteunen naar een grote stoel bij het raam. Ze trok een krukje naar zich toe en liet haar enkel erop rusten.

'Nou, ik ben wel even uitgeschakeld, geloof ik', had ze gezucht. Terwijl hij zijn wangen voelde schroeien, had hij geantwoord: 'Ja, daar lijkt het wel op.' Hij had de scherven opgeruimd en was nog even bij haar blijven zitten, maar de muren leken op hem af te kruipen. Hij wilde weg.

'Ik heb een afspraak, ik moet gaan', had hij gezegd en was opgestaan.

'Ja, natuurlijk, lieverd, ik red me wel', had ze geantwoord, maar zo zag ze er niet uit. Haar enkel was gezwollen en ze zag bleek van de pijn. Hij had zich snel uit de voeten gemaakt.

Hij inhaleert diep en vist zijn mobiel uit de broekzak. Gus bellen.

'Gussie, man!'

'Hey, Fix!'

'Ga je vanavond mee op avontuur?'

'Waarheen?'

'Hangar.'

'Huh, die is toch gesloten?'

'Gussie, laat mij het denkwerk nou maar doen. We gaan er niet heen om te stappen maar om een wedje te winnen.'

'Cool! Ga je wedden? Wist niet dat je dat deed.'
'Yep. Ga je mee?'
'Zeker weten!'
'Kom je me halen?'
'Kun je zelf niet rijden dan?'
'M'n scooter is gejat, weet je nog, sullie?'
'Oh ja, stom…'
'Om halfzeven aan de weg, bij mij?'
'Oké, zie je.'

Hij sluit het gesprek af, duwt de mobiel terug in zijn broekzak en laat zijn achterhoofd tegen de ruwe stenen leunen. Hij zuigt de rook diep zijn longen binnen en sluit zijn ogen.

Dat was Gussie. Zussie. Zijn ogen schieten open. Zijn zus. Hij moet haar nog bewerken, anders gaat ze zeiken over zondag. Hij kijkt op zijn horloge, kwart over vijf. Ze zal wel thuis zijn. Langzaam werkt hij zich overeind, tastend met zijn hand tegen de muur.

Zijn duim steunt precies in de wijd geopende bek van een graffiti-slang, ziet hij. Het beest kijkt hem met felgele ogen giftig aan.

Hij loopt de achterdeur binnen en ziet Sofie in de keuken achter het grote zespits-fornuis staan. Ze hoort hem niet binnenkomen, de afzuigkap zoemt. Pas als hij vlak achter haar staat, draait ze zich om. Ze lijkt te schrikken.

'Hoi, Fix. Ik hoorde je niet binnenkomen. Ik ben spaghetti aan het maken.'

'Ik heb niet zo'n honger, ik maak straks wel een boterham.'

'Ah, doe niet zo flauw. Je bent hartstikke bleek, je moet eten. Tante Eva zei ook al dat je er niet goed uitziet.' Felix voelt zijn maag draaien, het idee aan eten alleen al, hij heeft de zenuwen voor vanavond…

'Tante Eva?' vraagt hij.

'Ja, daar was ik vanmiddag even, ik moest geld voor haar pinnen. Haar enkel is verstuikt, weet je nog?'

'Ja, lullig, ze zwikte zomaar om. Gaat het met 'r?'

'Ze kan niet lopen. Ik heb alles wat ze nodig heeft binnen een vierkante meter rond haar stoel gelegd en ze slaapt op de bank vannacht. Ik heb haar huissleutel gekregen, die kun jij ook gebruiken als je hem nodig hebt.' Sofie diept een sleutel op uit haar broekzak, houdt hem even omhoog en legt hem dan in de vensterbank bij het keukenraam.

Daarna gaat ze weer achter het fornuis staan en roert door de pan met gehakt en tomatensaus.

'Ziet er toch wel lekker uit, Sof, wanneer is het klaar?' vraagt hij. Onder het eten kan hij beginnen over het feestje, dat is hét moment. Wacht, een wijntje erbij, da's nog beter! Dan wordt ze wat losser. Of toch maar niet. Ze drinkt nooit. Doen of niet? Jawel! Zogenaamd om hun eerste weekendje alleen samen te vieren.

'Een kwartiertje nog. Wil jij de tafel dekken?' vraagt ze vrolijk.

'Yep'. Hij gaat naar de eetkamer en opent de grote antieke kast. Hij pakt er borden, bestek en glazen uit en zet alles op de tafel neer. Dan gaat hij naar de hal, opent de kelderdeur en daalt de oude stenen trap af. Onder de grijze gewelven strekken zich houten rekken uit, afgeladen met flessen. Hobby van pappie. Bijna elke alcoholhoudende drank die in een fles verkocht wordt, staat hier. Champagne, whisky, cognac, wijn. Op goed geluk grijpt Felix een fles – een rode wijn, het etiket zegt hem niks – en gaat weer naar boven. Hij sluit de kelderdeur en loopt door naar de eetkamer. Daar neemt hij een kelnersmes uit de la van de eetkamerkast, snijdt het plastic van de dop en boort het ijzer in de zachte kurk. Zijn vader heeft hem geleerd hoe het moet, op zijn twaalfde. Toen mocht hij ook voor de eerste keer een glas rode wijn proberen. Hij vond het niet te zuipen, zo zuur. Een biertje vindt hij veel lekkerder, of wodka, of whisky. Plop, zegt de kurk zacht. Hij zet de flessenhals tegen de glazen, schenkt ze halfvol en zet de fles op tafel. Opeens schiet een nog beter idee door zijn hoofd. Dan zal Sofie echt lekker relaxen en alles helemaal prima vinden. Grinnikend laat hij zijn hand in zijn broekzak glijden, peutert een pilletje uit een plastic zakje en laat het in het glas voor Sofie vallen. Relaxpilletje van zijn moeder, ze werken voor hem, vast ook voor Sofie. Hij pakt het glas op, laat de wijn wild door het glas walsen en wacht even. Dan zet hij het glas voorzichtig neer.

'Klaar!' roept hij richting de keuken.

Het was nog veel beter gegaan dan hij verwacht had, Sofie had zelfs zín in het feest. Hij had haar geholpen met afruimen, haastig, want hij moest weg, het was al kwart over zes. In de keuken had hij een bord uit zijn handen laten vallen, dat had hem direct herinnerd aan tante Eva.

'Ben weg', had hij gezegd, nadat hij de scherven had opgeruimd. Een blowtje heeft hij nodig, kan nog net voordat Gus hem oppikt. Relax, man, alles komt goed, spreekt hij zichzelf kalmerend toe, terwijl hij over het pad naar de weg wandelt. De helm hangt zwaar aan zijn linkerarm. Hij inhaleert diep en voelt zijn gedachten met iedere trek lichter worden. Hij gooit de peuk van zich af als Gus op zijn scooter komt aanrijden.

'Hey Fix, ben je er klaar voor?' roept Gus vanonder zijn helm.
'Ik wel!' antwoordt hij, krachtiger dan hij zich voelt. Hij zet zijn helm op – het is of zijn hoofd onder water verdwijnt, alle geluiden verstommen – en laat zich dan achter Gus op het zadel zakken. Gus laat zijn scooter een paar keer brullen en geeft gas. Het is een ritje van vijftien minuten naar de Hangar. Eerst over

de brede provinciale weg, daarna door een saaie buitenwijk. Daar laat Gus zijn scooter zo hard mogelijk over de drempels stuiteren, Felix voelt de stoten dreunen door zijn hoofd maar zegt niks. Ieder zijn lolletje. Ze komen door de hoofdstraat, het is koopavond. Hordes mensen lopen over de stoepen en schuiven dan, rechtsaf, het voetgangersgebied in. Gus stopt met piepende remmen voor een zebrapad, Felix schiet voorover en hoort zijn helm tegen die van Gus klappen.

'Shit, sloom gedoe', moppert Gus. Zodra hij een gaatje tussen de mensen ontdekt, geeft hij vol gas en schiet tussen de overstekende voetgangers door. Felix kijkt even achterom en ziet een oude man zijn vuist schudden in de lucht. Felix steekt zijn middelvinger op en draait zich weer om. De koude wind schiet in zijn broekspijpen. Het knaagt in zijn maag, wat staat hem te wachten? Vijf minuten later rijdt Gus het parkeerterrein voor de Hangar op. Het grote, lage gebouw tekent zich donker af. Net een zwarte panter die ligt te wachten op zijn prooi, denkt Felix. De Hangar opende vrijdags altijd om negen uur, dan kon je er drinken en swingen, weet Felix, al kwam hij er zelf zelden. Hij gaat liever naar de soos, veel relaxter, beetje pokeren en darten. Gus zet de scooter neer en ze stappen af. Felix kijkt zoekend om zich heen. Niemand te bekennen. Zou hij zich vergist hebben in de afspraak?

'Klopt het wel dat je hier moet zijn?' vraagt Gus.

'Yep, dit is de plek.'

Juist als hij het laatste woord uitspreekt, stuift een knalgele sportauto de lege parkeerplaats op. Met gierende banden scheurt de auto op hen af en remt. Ze springen juist op tijd achteruit om de glimmende bumper te kunnen ontwijken. Felix voelt zijn hart kloppen in zijn slapen.

Gus brult: 'Sjesus, gek, doe ff normaal!'

Het portier zwaait open en een grote man met een kaal hoofd

stapt uit. Hij draagt een lange leren jas en zware laarzen, die over het asfalt naar hen toe komen bonken. De man stopt vlak voor hen, zelfs Gus lijkt bij hem vergeleken een dwerg. De man inspecteert met koude, blauwe ogen hun gezichten, en snauwt:

'Wie van jullie is Felix?'

Felix haalt diep adem en zegt: 'Ik.'

'Meekomen en instappen', commandeert de man.

'Is het oké als mijn vriend meegaat?'

'Mij best, als hij zijn gemak maar houdt', reageert de man nors. Gus aarzelt even – Felix knikt hem bemoedigend toe – en zet dan zijn scooter op slot.

'Waar gaan we naartoe?' vraagt Felix, terwijl ze de man volgen naar zijn auto.

'Merk je wel. We gaan quickpicken, ken je dat?' vraagt de man met een scheve grijns. Felix weet zeker dat die glimlach niet vriendelijk bedoeld is.

'Neuh, niet echt', reageert Felix kortaf. Gus schudt nee.

'Ik leg het onderweg wel uit, stappen jullie maar achter in', zegt de man.

Als hij het portier achter hen dichtgooit, voelt Felix zich of hij is vastgelopen in een klem. Hij kijkt Gus aan en geeft hem een knipoog. Grote Gus glimlacht kleintjes terug.

Sofie – Shoppen

Ze had Felix willen vragen waarom hij bij de rector moest komen. Ze had hem willen voorstellen om zaterdagavond samen
een filmpje te kijken. Maar in plaats daarvan was ze zowat in
slaap gevallen aan tafel. Vast door de wijn, haar eerste glas ooit.
Maar ze had het zo gezellig gevonden, samen eten, en Felix
had echt zijn best gedaan. Hij had verteld over een feestje dat
hij zondagmiddag wil geven in het boothuis, wat hij daar allemaal nog voor moet regelen.
'Vinden papa en mama het goed?' had ze voorzichtig gevraagd.
'Tuurlijk, die weten ervan,' had hij geantwoord, 'ik heb het
vandaag tussen de middag aan ze gevraagd.'
'Nou, leuk, dan nodig ik Jikke ook uit. Die ziet jou helemaal
zitten', had ze zichzelf tot haar verbazing horen giechelen. Felix lachte breed en zei: 'Je kunt trouwens goed koken, zeg.'
Ze hadden samen afgeruimd en toen was Felix vertrokken naar
een afspraak. Ze had de vaat in de machine gezet en de prullenbak geleegd in de grijze container in de garage. Het felrode
lampje van de droger had gebrand – typisch haar moeder, die

vergat dat soort dingen altijd – ze had het deurtje van de droger geopend en de droge was in de mand ernaast gegooid, de joggingbroek en sweater van Felix bovenop. Dan kon hij rennen als hij wilde. Daarna was ze op de bank in de woonkamer neergeploft, duf en sloom. Even haar ogen dicht. Zal ze nog wel naar de stad gaan? Ja, dat moet. Om het nieuwe jurkje te kopen, kan ze het zondagmiddag op het feestje dragen. Ze dwingt haar ogen open. Op de grote staande klok ziet ze dat het halfzeven is. Ze legt haar hoofd tegen de brede, zachte armleuning en sluit haar ogen weer. Nog even. Nooit geweten dat wijn drinken zo vermoeiend is. Ze schrikt van het gerinkel van de telefoon en schiet overeind. Bijna in slaap gesukkeld! Ze staat op en loopt naar het bijzettafeltje in de hoek van de kamer. Door het grote raam ziet ze de lege oprijlaan schemeren onder de bomen. Het wordt al sneller donker, het is bijna september.

'Sofie Verpoort.'

'Is Felix daar?' vraagt een man. Zijn stem klinkt stroperig.

'Nee, hij is net weg. Kan ik wat doorgeven?' vraagt ze.

'Mmm.' Er valt een korte pauze. 'Ja, zeg hem maar dat hij een mooi zusje en een mooi huis heeft. En dat hij daar heel zuinig op moet zijn.'

'Wat...' begint Sofie maar het gesprek wordt al afgebroken.

Ze zet het toestel weg, klaarwakker opeens. Wie was dat in godsnaam? Wat hij zei klonk dreigend en zo was het ook bedoeld, daarvan is ze zeker. Opnieuw staart ze naar buiten. Ze heeft net gegeten maar haar maag voelt opeens hol. Die man is daar ergens buiten, misschien wel heel dichtbij. Hij zou zo met zijn mobiel in de struiken kunnen zitten, haar zelfs kunnen zien! Ze merkt dat haar handen beven. Ze moet Felix bellen, ja, dat moet ze doen. Ze tikt zijn mobiele nummer in op het toestel en wacht. Ze voelt haar hart zwaar kloppen. Hij neemt niet op en ze zet het toestel weer neer. Haar ademhaling versnelt als ze naar de grote, donkere ramen loopt en de gordijnen met een ruk dichttrekt. Dat is beter. Wat nu? Naar de stad. Jikke en Ina wachten op haar voor Xstream. Maar stel dat die griezelige beller daar buiten is, dichtbij, en haar achtervolgt? Ze denkt even na en loopt dan naar de hal, klimt de trap op en gaat haar slaapkamer in. Ze pakt een klein busje haarspray van de toilettafel, pakt haar tasje en laat het busje erin glijden. Vluchtig bekijkt ze zichzelf in de spiegel. Donkere haren, grote bruine ogen. Ze buigt zich dichter naar haar spiegelbeeld. Het oogwit is roder dan anders, lijkt het, vast door die wijn, bah. Ze haalt diep adem en rent de trap af. Niet denken, doen. En vooral net doen of die beller niet bestaat. Ze haalt haar fiets uit de garage en stapt op, zet haar mp3-speler aan en sluit de wereld buiten.

'Hè, hè, ben je daar eindelijk', zucht Jikke overdreven. Haar felblonde, lange haren glinsteren rozig als een suikerspin in het rode etalagelicht van Xstream. Ina steekt haar hand op en glimlacht breed.
'Ja, sorry, ik moest zelf koken, mijn ouders zijn weg', verontschuldigt ze zich, terwijl ze haar fiets tegen de gevel van Xstream parkeert.
'Zijn jij en Felix nu helemaal alleen thuis?' vraagt Ina met grote ogen.
'Ja, eigenlijk wel', antwoordt Sofie. Een bedenkelijke rimpel verschijnt tussen de perfecte boogjes van Ina's wenkbrauwen en ze vraagt: 'Vind je dat niet eng?'
'Nee joh, waarom zou ze dat eng vinden? Het is juist leuk, even geen gezeur van ouders', antwoordt Jikke.
'Felix geeft zondag een feestje, komen jullie ook?' zegt Sofie.
'Nee, wij hebben dan een feestdag: Raksha Bandshan', antwoordt Ina.

'Wattus?' reageert Jikke met een gezicht alsof ze zware hoofd-pijn heeft.

'Da's een hindoefeest. Hebben we ieder jaar, met cadeaus en lekker eten. Alle vrouwen geven dan armbanden aan hun broers en neven.'

'O, waarom?' vraagt Sofie.

'Als beloning voor de mannen omdat ze de vrouwen bescher-men. De armband brengt de drager geluk. Ik moet er zo nog eentje kopen voor mijn broer in de bazaar', zegt Ina.

'Wat leuk! Misschien koop ik er dan wel een voor Felix', zegt Sofie.

'Heel gezellig allemaal, maar nu moeten we echt gaan shop-pen, kom op', spoort Jikke aan.

'Zo'n jurkje wil ik graag hebben', wijst Sofie naar de etalage. Ina kijkt en knikt: 'Gaat lukken.'

Als ze Xstream binnenlopen, voelt Sofie zich overdonderd door een dreunende discodeun. De bassen grommen uit grote, zwar-te luidsprekers. Jikke lijkt er niets van te merken en neuriet de stampende melodie mee terwijl ze een spijkerbroek uit een sta-pel trekt. Ina pakt Sofie bij haar hand en leidt haar naar een rek met jurkjes.

'Welke kleur wil je?' vraagt Ina. Haar donkerbruine amandel-ogen kijken Sofie peilend aan.

'Ik vind zwart wel leuk', antwoordt Sofie.

'Da's eigenlijk geen kleur, wist je dat?' zegt Ina.

'Ja, dat weet ik, maar toch wil ik zwart', grinnikt Sofie. Ina wil altijd alles beter weten, tot in het absurde. Meestal handig maar ook wel eens irritant.

Ina trekt een zwartfluwelen jurkje uit het rek, strak en kort.

'Beetje gothic, vind je niet?' snuift Jikke als ze bij hen komt staan.

'Het heeft wel wat dramatisch', vindt Ina.

'Ik vind het mooi, ik ga het passen', zegt Sofie.

Ze neemt het jurkje mee naar het enige vrije pashokje en trekt het gordijn dicht. Hoe zou het haar staan, zo'n jurkje? Ze doet haar kleren uit en trekt vol verwachting de zachte zwarte stof over haar hoofd, borsten, heupen. Ze sluit even haar ogen, haalt diep adem, houdt haar buik in en kijkt dan in de spiegel. Stil bekijkt ze haar spiegelbeeld. Ze kan bijna niet geloven dat ze naar zichzelf kijkt. Het jurkje zit strak om haar lichaam, de stof volgt rimpelloos haar rondingen. Verwonderd fluistert ze: 'Ik zie eruit als... een vrouw.'

'Past-ie?' vraagt Jikke ongeduldig.

Sofie schuift het gordijn open en stapt naar buiten. Ze maakt een rondje om haar as voor de grote spiegel, draait zich om naar haar vriendinnen en zet een hand op haar heup.

'Sof,' zegt Ina, 'staat je geweldig! Maar vind je 'm niet te heftig?'

Sofie schudt glimlachend haar hoofd. Het is precies wat ze wil. Stoer en spannend.

Jikke knippert met haar ogen en roept: 'Woooow! Ik wist niet dat jurkjes zo leuk kunnen zijn. Ik ga er ook eentje passen. Dan valt je broertje finaal voor me, zondag.'

Sofie lacht en draait zich met glinsterende ogen naar de grote passpiegel.

Ja, dit jurkje is het. Hiermee valt ze op. Ze zal het dragen op het feestje en na de toneeluitvoering, dinsdagavond. Een dramatisch jurkje, had Ina gezegd, dus geknipt voor drama.

Een kwartier later staan ze weer op straat. Jikke moppert: 'Ik snap het niet! Jou stond dat jurkje zo cool en ik leek er net een paling in.'

'Jou staan skinny spijkerbroeken super', troost Sofie, 'die je nu gekocht hebt is he-le-maal perfect.'

'We moeten naar de bazaar!' commandeert Ina.

Ze steken de winkelstraat over en lopen het voetgangersgebied in. Een groot betegeld plein waarop drie brede winkelstraten uitkomen, strekt zich voor hen uit. Midden op het plein rijst een stalen kunstwerk op dat doet denken aan vier reusachtige, kromgeslagen spijkers.

'Hé, is dat Felix?' wijst Jikke.

Naast de spijkers staan een kale man in een leren jas en een forse jongen, die Sofie herkent als Gus. Tussen hen in staat Felix.

'Ja, dat is hem', zegt Sofie.

'Zullen we even met hem kletsen?' vraagt Jikke verlangend.

'Nee, Jik, we hebben afgesproken dat we naar de bazaar zouden gaan', zegt Ina vastberaden.

'Goed, goed, maar dan gaan we daarna terug om te zien of ze er nog zijn', bedingt Jikke.

'Mij best', zucht Sofie. Ze kijkt nog even naar het drietal bij het bankje. De kale man staat haar niet aan. Hij praat fel en oogt dreigend, Gus haalt even zijn schouders op en Felix kijkt naar de grond, zijn schouders gebogen. Ze ziet hem knikken.

'Sofie, schiet op!' roept Ina. Ze volgt haar vriendinnen de zijstraat in. Vijftig meter verderop loopt Ina een grote, felverlichte winkel binnen. Langs de wanden staan, opgesteld in lange rijen, bakken gevuld met kleurige kettingen, oorbellen, veren, boa's, slippers en blikken met levensmiddelen. Ina wenkt hen, loopt doelbewust naar de kassa en gebaart naar de brede toonbank.

'Kijk, hier liggen de rakhi's', zegt ze enthousiast.

'Zien er nogal simpel uit', merkt Jikke op.

'Het gaat ook niet om de mooiigheid. Het is een symbool, voor de band tussen broer en zus', legt Ina uit.

'Ik koop er eentje voor Felix', zegt Sofie.

'Dan neem ik er een voor mijn hond, dat is ook een soort broertje. Staat geinig aan zijn halsband', zegt Jikke.

Ina rolt even met haar ogen. Sofie bekijkt de armbanden op de toonbank keurend: koordjes met amuletjes van papier, plastic of stof in allerlei fleurige kleuren. Moeilijk om te kiezen, het zijn er zoveel. Ze laat haar ogen dwalen en kiest een veelkleurige met een kleine afbeelding erop. Ze laat hem aan Ina zien.

'Die is mooi. Dat is de god Ganesh, die brengt je broer wijsheid en trouw', verklaart Ina.

Jikke neemt hetzelfde bandje als Ina.

'Wat betekent die van jullie?' vraagt Sofie.

'Krishna staat erop, dat is de god van de platonische liefde', vertelt Ina.

'Dat leek me wel zo verstandig, met mijn hond', lacht Jikke.

Ina kijkt Jikke misprijzend aan.

'Het is serieus bedoeld hoor, zo'n rakhi', zegt ze streng.

'Ja, sorry, ik bedoelde het niet rot of zo,' reageert Jikke haastig, 'laten we afrekenen, dan kunnen we naar het plein.'

Als ze de bazaar vijf minuten later verlaten, huivert Sofie even. Het wordt al wat frisser buiten. Ze volgt Ina en Jikke naar het plein.

'Shit, ze zijn er niet meer!' roept Jikke teleurgesteld.

'Jawel, daar', wijst Ina. Sofie draait haar hoofd om en ziet het hoofd van haar broer tussen de winkelende mensen opduiken, als een dobbertje op het water. Ze zwaait. Hij herkent haar maar schudt heftig zijn hoofd.

'Kom, gaan we naar hem toe', stelt Jikke gretig voor.

'Nee, ik geloof dat hij liever alleen is', antwoordt Sofie.

'Joh, hij is gewoon een beetje verlegen, ik ga eropaf, hoor', roept Jikke vrolijk en begint aan de achtervolging van Felix.

'Nee, niet doen, laat hem maar met rust', probeert Sofie haar vriendin te stoppen. Felix kan kalm ogen maar dan plotseling uitbarsten. Als een rotje dat smeult, lijkt te doven en dan onverwachts toch knalt. Maar Jikke laat zich niet tegenhouden en wurmt zich tussen de voetgangers door naar Felix toe. Sofie en Ina volgen haar op de voet. Opeens klinkt een harde gil voor hen. Ze zien een grote, forse vrouw met rode krullen haar hand opheffen om te slaan.

'Vuilak, blijf van mijn billen af!' snerpt haar stem. Sofie voelt haar hart versnellen. Ze ziet hoe Felix wegduikt voor de hand. Een fractie van een seconde kijkt hij recht in haar ogen en dan zet hij het op een lopen. Ruw duwt hij mensen opzij en rent van het plein weg, de straat van de bazaar in. Sofie verliest hem snel uit het oog.

'Jee, wat was dat nou?' vraagt Ina.

Sofie haalt haar schouder op. Ze doet haar best niet te bezorgd te kijken.

'Wat moet Felix nou met de billen van die vrouw?' zegt Jikke verbaasd.

'Geen idee. Misschien valt hij wel op oudere vrouwen', probeert Sofie een grapje te maken.

Er komt een politieagent naar de vrouw toe rennen. Sofie, Jikke en Ina voegen zich bij het groepje omstanders dat staat te luisteren.

'Mevrouw, wat is het probleem?' vraagt de agent.

'Zo'n rotknul zat aan mijn achterste. Maar het was hem vast niet te doen om mijn kont. Hij ging voor mijn portemonnee, ik weet het zeker. Een smerige zakkenroller is het. Hij rende die kant op', de vrouw wijst met een dikke vinger, 'als je opschiet kun je hem nog pakken.'

'Kunt u hem beschrijven, mevrouw?' vraagt de agent.

'Nee, het ging te snel. Hij had donker haar, verder weet ik het niet', antwoordt de vrouw.

'Heeft iemand anders de jongen beter kunnen zien?' vraagt de agent en laat zijn blik over de omstanders gaan. Sofie voelt haar hoofd suizen en staart haar vriendinnen aan. Jikke en Ina kijken geschrokken terug, vragend, bijna beschuldigend, denkt Sofie. Het is haar broer waar die vrouw het over heeft.

Sofie schudt haar hoofd en fluistert schor: 'Stelen is niks voor Felix.'

Jikke knikt hartstochtelijk: 'Tuurlijk niet, die vrouw heeft het zich vast verbeeld. Raar mens.'

Ina kijkt Sofie scherp aan en zegt zacht: 'Geef Felix straks de rakhi maar. Volgens mij kan hij die wel gebruiken.'

Sofie trapt zo hard ze kan, ze wil zo snel mogelijk thuis zijn. De weg wordt verlicht door straatlantarens, tussen de poelen van licht is het telkens aardedonker. Er blaast een kille bries. Het jaagt in haar hoofd. De wind lijkt door haar oren binnen te dringen en haar gedachten mee te zuigen in een wervelstorm. Zou Felix al thuis zijn? Wat moet ze doen? Haar ouders bellen? Tante Eva? Felix doet rare dingen, er is iets niet in orde.

Als de oprijlaan naar hun huis in zicht komt, dwingt ze zichzelf om niet aan de slepende stem te denken die ze door de telefoon hoorde. Ze klemt haar kaken op elkaar en trapt nog harder, tussen de nachtzwarte stammen door. Buiten adem remt ze voor de garage, grindsteentjes knallen onder de voorband weg. Ze stapt haastig af en neemt niet de moeite de fiets in de garage te zetten. Snel grist ze de felgele plastic tas met het jurkje van het stuur en rent naar de keukendeur. Ze haalt de sleutel uit haar zak, opent de deur en stapt naar binnen. Hard trekt ze de deur achter zich in het slot, draait met trillende vingers de sleutel om en leunt dan, hijgend, met haar rug tegen de deur. Godzijdank, ze is binnen. Ze laat de tas uit haar handen glijden, op de tegelvloer. Haar beenspieren schokken van inspanning. Haar hart klopt wild. Ze laat haar achterhoofd tegen de deur rusten en bijt op haar lip om niet te huilen. Ze is bang! Bang om te fietsen, bang in haar eigen huis, bang voor wat er met Felix aan de hand is. Ze slaat haar handen voor haar gezicht en blijft een minuut bewegingloos staan. Ze kan Jikke of Ina of zelfs allebei vragen om te komen logeren. Tante Eva bellen? Nee, eerst moet ze Felix spreken. Ze móet weten wat er precies gebeurde in de winkelstraat.

Felix – Dubbelspel

Het was mislukt. Totaal. De eerste vrouw die hij had willen
rollen, had gegild alsof hij haar ging vermoorden. Niet dat hij
geen zin had gehad haar krijsende keel dicht te knijpen, verdomme. Die weddenschap winnen kon hij nu wel vergeten:
zoveel mogelijk zakken rollen binnen een halfuur. Dat is nou
quickpicken, had die kale klootzak gegrijnsd. Als Felix tweehonderd euro zou pikken, was het wat Ludo betreft oké, dan
was de schuld voldaan, zei de kale. Gus had gemompeld: 'Eitje.'
Maar Felix had nog nooit wat gejat, ja, wel eens in een winkel
natuurlijk, maar niet uit een zak of tas van iemand. Hij hield er
sowieso niet van om zo dicht bij mensen te komen als het niet
hoefde. Maar nu moest het, geen keus, terugkrabbelen kon
niet. De kale had op zijn horloge gekeken en om precies acht
uur gezegd: 'Start.' Alsof het om een simpele hardloopwed-
strijd ging. Felix had zich tussen de mensen laten meevoeren
maar het voelde als wervelen in een windhoos, alles duizelde
om hem heen. Waar moest hij beginnen? Wie? Toen was die
grote vrouw langsgelopen, haar kontzak uitpuilend met haar

portemonnee. 'Eitje', hoorde hij Gus weer zeggen. Hij was vlak achter de vrouw gaan lopen, had haar mierzoete parfum geroken, haar warmte bijna kunnen voelen. Een golf van misselijkheid had zijn voornemen even weggevaagd. Toen had hij zijn hand uitgestrekt naar haar broek, dansend om de volle deinende billen, en zijn vingers in de strakke broekzak laten glijden. De vrouw had zich onmiddellijk omgedraaid, geschreeuwd en een paar seconden hadden ze elkaar aangekeken. Zijn hart had in zijn hoofd gebonkt, alsof er gepingpongd werd tegen zijn schedeldak. In paniek had hij om zich heen gekeken, een uitweg gezocht en toen had hij Sofie gezien. Haar grote, bruine ogen hadden hem verbijsterd aangestaard. Hij had zich uit de voeten gemaakt. Rennen, rennen, weg van die rooie heks, weg van die kale en weg van de vragende ogen van Sofie. Hij was doorgehold naar het park en daar op de grond neergeploft, tussen de bladeren, verborgen achter een dikke boomstam. Hij voelde de kilte van de aarde door de stof van zijn spijkerbroek trekken. Relax man, relax. Met nerveuze bewegingen had hij een jointje gedraaid. Na een diepe haal had hij zijn hoofd tegen de ruwe stam laten rusten.
Wat nu?

Zijn mobiel trilt in zijn broekzak. Met tegenzin pakt hij het toestel.
'Fix.'
'Waar ben je, man? Die kale is pislink! We hebben een halfuur op je staan wachten!' schreeuwt de stem van zijn vriend door de mobiel. Dat er zoveel geluid uit zo'n klein doosje kan komen, denkt Felix even verbaasd. Vroeger had hij een beer gehad die bromde als je hem op zijn kop hield. Hij was steeds op zoek geweest naar die brom. Op een dag had hij de beer opengesneden met een vleesmes en in de buik een doosje gevonden. Daar had

de brom ingezeten. Hij moet bijna grinniken bij de herinnering: zijn ouders helemaal over de zeik, dachten dat hij gestoord was omdat hij zijn beer had gemold met een mes. Ze snapten er niks van, van hem, nooit.

'Zit in het park, ff chillen. Het ging goed mis, hè?' reageert Felix.

'Ja, kan je wel zeggen! Ze willen nu vijfhonderd euro van je, man! Hoe kom je aan zo'n schuld, idioot! Ze bellen je nog. En als je zondagavond niet betaalt, dan pakken ze je zus en mollen ze je huis, zei die kale.'

Felix voelt hoe de kou uit de grond zich vanuit zijn benen in zijn maag nestelt. Kil en klam.

'Da's klote. Ik verzin er wel wat op. Wil je me helpen?' Zijn tong struikelt bijna over zijn woorden.

'Ja, tuurlijk, ook omdat ik je zus mag. Maar jij bent een grote sukkel. Moet ik je oppikken in het park?' vraagt Gus.

'Ja, graag man, ik wacht bij de poort', antwoordt Felix. Hij schudt verwonderd zijn hoofd als hij zijn mobiel in zijn zak propt. Gus de sukkel noemt hem een sukkel. Zijn zus zal hem ook wel een sukkel vinden, ze heeft hem gezien in de winkelstraat. Moet hij haar vertellen hoe het zit? Nee, niet alles, een beetje. Ze pakken haar als hij niet betaalt, zei Gus. 'Het komt goed met dat geld, zeker weten', mompelt Felix zacht in zichzelf. Hij hijst zich overeind tegen de stam en rekt zijn stramme benen. Onvast loopt hij over het pad naar de toegangspoort van het park. In de verte hoort hij het geronk van een brommer, het geluid zwelt aan. Het klinkt vinnig en boos, dat is Gus.

De grote ramen van de kamer zijn verlicht, ziet Felix, als hij de oprijlaan oploopt.

'Ga jij maar pitten, morgen bedenken we een plan', had Gus

streng gezegd toen hij hem afzette. 'Ja, pappie', had Felix luchtig geantwoord. Hij kijkt naar rechts, naar het boothuis in de verte. Daar moet hij zondag zijn geld verdienen, anders is hij de klos. Of liever gezegd: Sof is dan de klos. Hij versnelt zijn passen, steekt zijn sleutel in de voordeur en laat zichzelf binnen.

'Sofie!' roept hij.

Ze komt uit de kamer, een beetje buiten adem, met de telefoon in haar hand.

'Ik wilde je net bellen, we moeten praten. Wat was er aan de hand in de stad, Fix?'

Haar wangen zijn rood, haar ogen bijna zwart. Het lijkt of ze gehuild heeft maar haar stem klinkt vastberaden.

'Ja, je hebt gelijk, we moeten praten', geeft hij toe.

'Kom, gaan we in de kamer zitten', stelt Sofie voor.

Onwennig ploffen ze tegenover elkaar neer, hij op de bank, Sofie op een grote, lichtblauwe leren leunstoel tegenover hem. Ze lijkt erin te verdrinken. Hij kan zich niet herinneren wanneer ze voor het laatst een echt gesprek hebben gehad, zij en hij. Het voelt vreemd, bijna alsof hij een spreekbeurt moet houden voor de klas.

'Fix, was je aan het stelen?' vraagt ze direct.

'Neeh, niet echt. Het was meer een geintje.'

'Een geintje?' vraagt ze ongelovig.

'Nou, ja, het ging om een weddenschap.'

Even blijft het stil, de mond van Sofie valt open.

'Een weddenschap?!' roept ze dan uit.

'Ja, ik had gewed met iemand dat ik tweehonderd euro in een halfuur kon gappen.'

'Wat?! Dat is echt belachelijk! Zoiets stoms heb ik nog nooit gehoord!'

'Er worden wel raardere weddenschappen afgesloten, hoor, dit valt nog wel mee', verdedigt Felix zich.

'En doe jij aan dat soort idiote dingen mee? Stelen is crimineel, hoor.' Ze kijkt hem aan zoals zijn leraren hem ook wel eens aankijken: alsof het pijn doet hem te zien.

'Neuh, dit was de eerste keer. En gelijk de laatste keer. Gus kwam op het idee, die was er ook bij', zegt hij snel.

'En die kale man? Wie was dat?' vraagt ze.

'Ach, een kennis, die had er niks mee te maken', antwoordt Felix.

'En dan nog wat... ik werd straks gebeld door een griezel die vroeg naar jou. Hij zei dat je goed op mij en je huis moest passen', zegt Sofie schor. Ze is zenuwachtig, ziet hij, haar lippen trekken.

Felix houdt even zijn adem in.

'Noemde hij zijn naam?' vraagt hij.

'Nee, maar hij had een slome stem. Weet jij wie het is?'

Felix merkt dat zijn mond steeds droger begint te voelen. De kou in zijn maag komt weer opzetten, alsof er een vriesvak in zijn buik zit. Ludo.

'Ja, ik denk het wel. Da's een vriend van me. Niks aan de hand. Die doet soms een beetje maf.'

'Nou, lekkere vrienden heb jij dan. Gus die je op rare ideeën brengt en die slome griezel die niet goed snik is. Komen ze soms ook op je feestje? Ik heb er al helemaal geen zin meer in, misschien kun je het beter een andere keer geven, als papa en mama thuis zijn...' begint Sofie.

Shit, nee! Trut! Hij springt overeind, eigenlijk tegen zijn wil, en zegt, harder dan hij bedoelt:

'Nee, dat kan niet! Ik moet... iedereen is al uitgenodigd. Ik kan het niet maken om nu af te zeggen!'

Sofie kijkt hem met verschrikte ogen aan.

'Je hoeft niet zo te schreeuwen, hoor. Ik vind het gewoon geen goed idee. Zo dadelijk gebeurt er iets ergs, ik heb zo'n akelig voorgevoel.'

'Welnee, alles gaat prima. Maak je geen zorgen, ik pas wel op je, ik ben toch je grote broer.' En zij is zijn zus. Wat hem betreft zijn het alleen maar woorden, hij voelt er niks bij: zus, drie letters. Hij ziet dat ze even knippert met haar ogen. Dan staat ze op, loopt naar de gang en komt terug met een plastic tas. Ze grijpt erin en haalt een felgekleurd armbandje tevoorschijn, dat ze omhooghoudt.

'Leuk', reageert hij zo enthousiast mogelijk, 'doe je die om op het feestje?'

'Nee, die is voor jou. Ina heeft er ook een voor haar broer gekocht. Het is een Hindoestaans gebruik, ze brengen geluk', zegt Sofie.

Sjesus, stom meidengedoe. Hij heeft echt geen zin in zo'n belachelijk soft regenboogding om zijn pols, hij loopt ermee voor paal. Sofie laat haar hand zakken.

'Wil je hem niet?' vraagt ze.

'Jawel, cool. Maar eigenlijk heb ik niks met sieraden', reageert hij.

'Draag hem op je feestje, da's leuk!' stelt Sofie voor.

'Afgesproken', knikt hij. Het feestje gaat dus door, mooi zo. Hij haalt opgelucht adem.

'Wil jij wat drinken?' vraagt hij. 'Nog een wijntje misschien?'

'Nee, nee, ik ga naar boven, ben hartstikke moe. Morgen heb ik repetitie om elf uur', zegt Sofie gapend en ze staat op.

'O ja, je toneeluitvoering. Jij vindt toneelspelen echt leuk, hè?'

'Ja, super. Maandagavond komt de directeur van de toneelschool kijken bij de generale repetitie, misschien word ik dan wel ontdekt. Wat doe jij eigenlijk het liefst?'

'Ik? Goh, goeie vraag.'

Niksen, vervelen dus eigenlijk… en blowen, zuipen, pokeren, spijbelen en zo, somt hij in gedachten op.

Hardop antwoordt hij: 'Euhm, ik vind voetbal leuk, beetje

hardlopen. En rondhangen met vrienden bij de soos.' Sofie knikt, loopt op hem toe en geeft hem een snelle kus op zijn wang. Hij ontweek haar net te laat en voelt de vochtige afdruk op zijn wang.

'Trusten', zegt ze en even later hoort hij haar de trap oprennen. Haastig veegt hij zijn wang droog.

Hij laat zich op de bank vallen en denkt na. Het is een flinke smak geld, vijfhonderd euro. Dat lukt nooit alleen met dat feestje, da's duidelijk. Het trage denkwerk van Gus zal hem ook niet helpen, die heeft over een maand nog geen goed plan verzonnen. Nee, hij moet zelf iets bedenken en snel. En het moet morgen of zondag uit te voeren zijn, anders is het te laat. Hij legt zijn achterhoofd tegen de leuning en sluit zijn ogen even. Hij strekt zijn armen, haakt zijn handen in elkaar en laat zijn vingers knakken. Knak, knak. Doet hij ook vaak als hij gaat chatten. Chatten… yes, dat is een idee. Hij opent zijn ogen en glimlacht breed. Een grandioos idee! Daar moet op gedronken worden. Hij staat op, loopt naar de keuken en trekt de koelkast open. Hij grijpt twee blikjes bier en rent de trap op, naar zijn kamer. Het volgende uur zit hij ingespannen achter zijn pc. Om twaalf uur is hij klaar en rekt hij zich uit. Nog een jointje en dan pitten. Morgen een grote dag.

Sofie – De prinses

Zaterdag 10.30

O nee! Vergeten de wekker te zetten. Om elf uur moet ze op school zijn, denkt ze duf, hoe laat is het!? Sofie opent moeizaam haar ogen en keert haar hoofd naar de wekker op het nachtkastje. Halfelf. Als ze opschiet, kan ze het net redden. Ze komt op haar ellebogen overeind en een doffe pijnscheut schiet door haar schedel.

Langzaam draait ze haar hoofd weer om. Het bonkt in haar slapen en het voelt of haar gedachten door een rietje geperst worden, zoals het bloed in haar aderen, strak en benauwd. Ze proeft een brakke smaak in haar mond. Ze komt overeind, leunend op haar ellebogen, en veegt haar korte, bruine haren uit haar gezicht. De herinneringen aan de vorige avond dagen langzaam op. Shoppen met Jikke en Ina, Fix in de problemen. Ze drukt de gedachten weg en slingert haar dekbed van zich af en springt uit bed. Oef, te snel, langzaamaan. Ze neemt een koude douche om goed wakker te worden, kleedt zich haastig aan en rent de trap af, naar de keuken. Snel smeert ze een boterham en neemt een glas melk. Als ze door de hal loopt om haar jas te pakken, hoort ze geluiden in de wijnkelder. De deur

staat op een kiertje. Ze trekt hem verder open, tuurt naar beneden en roept: 'Fix?'
'Ja!'
'Wat ben je aan het doen?'
'Drank uitzoeken voor het feestje.'
'Vindt papa dat wel goed?'
'Ja, hij zei dat het mocht', galmt Felix' stem vanuit de gewelven.
'Ik moet nu gaan, oefenen op school, zie je straks, oké?'
Ze krijgt een onduidelijk antwoord en hoort een driftig gerinkel van flessen.

'Mooie prinses, welkom aan het hof van Navarre', zegt de koning waardig.

Terwijl zijn woorden over het toneel klinken, kijkt Dolf haar afwachtend aan. Sofie hoeft niet te zoeken naar de tekst. Haar stem klinkt helder en zonder aarzelen door de aula:

'Mooi noemt u mij en welkom heet u mij,
volgens mij meent u beide niet,
u nodigt me niet eens uit in uw kasteel en waarom?'

Ze zetten de woordenwisseling voort tot Dolf het podium verlaat. Dan komt Bram op in de rol van lord Boyet, raadsheer van de prinses. Schuifelend baant hij zich een weg naar Sofie toe.

'Navarre is besmet met wat verliefden "passie" noemen', bromt Boyet.

'Hoezo?' informeert de prinses.

Boyet antwoordt:
'In de ogen van de koning zag ik zijn gevoelens,
zijn liefde voor u woont er, gevangen in zijn blik.'

Sofie glimlacht, neemt Bram bij de hand en samen verlaten ze het toneel. Jikke komt op als hofdame Rosaline, samen met lord Berowne. Rosaline heeft maar tien minuten nodig om lord Berowne met haar ogen en woorden te verleiden. Dan laat ze hem alleen achter op het toneel, terwijl hij zich schaamt en beklaagt:

'Oh, die ogen van Rosaline, ik ben verliefd,
wat kan ik anders doen dan de eed breken.'

Dan komen de edellieden Longaville en Dumaine het podium opwandelen. Ze laten zich gewillig verleiden door de Franse hofdames Maria en Katherine. Als de twee meisjes het toneel verlaten, voegt de koning zich bij de drie edelen en ze overleggen treurig:

'Oh, als ik toch mijn zin zou kunnen krijgen met Katherine',
droomt Dumaine hardop.
'En ik met Maria', zucht Longaville.
'En als de prinses eens de mijne zou zijn', steunt de koning,
'beste Berowne, hoe kunnen we ons aan onze eed houden
en tegelijkertijd deze dames liefhebben?'

Berowne schudt zijn hoofd en antwoordt:
'Liefde leer je niet door te turen in studieboeken
maar door te kijken in de ogen van vrouwen.
Die ogen zijn onze boeken, daar vinden we wijsheid,
vrouwenogen bevatten de hele wereld.'

De koning denkt even na en besluit dan resoluut:
'Laten we er dan op af gaan, vrienden,
niet als onszelf, maar vermomd als Russische heren.
Dan kunnen we de dames het hof maken
zonder dat we onze eed breken.'

De jongens verlaten het toneel en Sofie loopt naar het midden
van het podium, gevolgd door haar drie hofdames.

'Kijk, wat ik kreeg van de koning',
zegt de prinses en ze toont een ring met een grote edelsteen.

Rosaline kijkt er bewonderend naar en vraagt:
'Zat er nog meer bij?'

De prinses antwoordt:
'Ja, een liefdesbrief aan beide zijden beschreven,
bezegeld met de naam van de liefdesgod Cupido.'

Rosaline reageert spottend:
'En zo wordt Cupido in leven gehouden,
al duizenden jaren en liefdesbrieven lang.'

Katherine valt uit:
'Die vervloekte Cupido zou gehangen moeten worden!
Hij vermoordde mijn zus, maakte haar somber tot ze stierf.
Had ze de liefde maar niet zo zwaar genomen,
maar speels, zoals jullie doen, want een licht hart leeft lang.'

De prinses zegt instemmend:
'Ja, we doen er verstandig aan de spot te drijven
met deze vier dwaze verliefde mannen.'

Plotseling duikt lord Boyet op naast de prinses en waarschuwt dringend:
'Maak u klaar, dames, de liefde heeft zich vermomd,
de koning en zijn edelen komen verkleed als Russen,
om zo de dame van hun keuze te veroveren.'

De prinses antwoordt smalend:
'We zullen die veroveraars eens op de proef stellen.
We gaan onze ringen verwisselen en maskers dragen,
zodat ze ons niet herkennen en zich vergissen
en zo de verkeerde het hof zullen maken.
Hun spot zal met de onze bespot worden.'
De prinses en de hofdames lachen luidkeels.

Sofie kijkt langs Dolf de zaal in en ziet Vrens met gesloten ogen goedkeurend knikken. Ze voelt het zelf ook, de rol zit haar als gegoten. De prinses leeft. Vrens applaudisseert en roept iedereen bij zich: 'Very well done, ik ben trots op jullie. Voor degenen die er nog niet genoeg van hebben is er vanmiddag op de toneelschool een casting voor figuranten voor het jaarlijkse examenfestival. Het begint om drie uur. Belangstellenden zijn van harte welkom, zoals ze dat altijd zo keurig zeggen.'
Daan knikt even naar Sofie: 'Da's wat voor jou, Sofie.'
'Zullen we anders met z'n allen gaan kijken!' stelt Jikke voor.
Sofie knikt enthousiast, aarzelt dan even en zegt:
'Ik moet eerst nog wel even aan Felix vragen of ik hem kan helpen met het voorbereiden van het feestje. En ik moet ook nog langs tante Eva.'
'Prima. Zullen we dan afspreken om drie uur voor de toneelschool?' stelt Jikke voor. 'Het is nu half een.'
Daan knikt.

'Is goed. Moet ik er nu vandoor, anders red ik het allemaal niet. Doei', zegt Sofie.

Hè, sleutel van tante Eva vergeten. Ze drukt op de bel, hijgend van het fietsen. Minuten verstrijken, zou tante even uit zijn? Nee, vast niet, niet met die enkel. Sofie legt haar vinger opnieuw op de deurbel. Dan tikt er van binnen iemand op het raam. Het is tante Eva, die gebaart dat Sofie achterom moet komen. Als Sofie via de keuken de kamer binnenloopt, ziet ze haar tante onhandig terugstommelen naar een grote leunstoel. 'Lieverd, kom binnen, zo gezellig dat je even komt', zegt tante Eva hartelijk. Sofie geeft haar een zoen op haar wang en gaat tegenover haar zitten.
'Sorry, ik was de sleutel vergeten. Gaat het een beetje met je enkel?' vraagt Sofie.
'Nee, eigenlijk niet, nog steeds zo dik als de poot van een olifant. Gelukkig is het maar tijdelijk,' zegt tante Eva met een scheef glimlachje, 'maar hoe is het met jou en je broer? Redden jullie je?'
'Ja hoor, dat gaat goed. Ik heb gisteravond gekookt. En straks ga ik naar de toneelschool, er is een figurantencasting. Ik hoop dat je dinsdag wel kunt komen kijken naar de toneeluitvoering', babbelt Sofie. Zal ze ook vertellen over het feestje van Felix? Nee, slimmer van niet, dan maakt tante zich misschien zorgen. Of misschien wil ze dan zelf wel komen... tante is dol op feestjes... Felix zou een beroerte krijgen.
'Ik doe er alles aan om erbij te kunnen zijn, lieverd, ik wil je dolgraag zien spelen.'
'Kan ik nog iets voor je doen? Boodschapjes? Kopje thee zetten?' vraagt Sofie.
'Nee schat, niet nodig. Ik heb nog geld genoeg en Coby van hiernaast heeft beloofd brood voor me mee te nemen.'

'Verder helemaal niets nodig?' dringt Sofie aan.

'Nou, lieverd, één ding. Leuk gezelschap. Blijf gezellig lunchen.'

Sofie aarzelt even en zegt dan: 'Nou, ik moet Felix misschien nog helpen... met iets.'

'Dan eten we gewoon wat sneller. Fijn hoor, dat jullie zo goed met elkaar kunnen opschieten, hè? Dat merk je vooral als je op elkaar aangewezen bent, zoals jullie twee nu', zegt Eva.

Sofie knikt kort en staat op.

'Zal ik wat lekkers maken voor ons?' biedt ze aan terwijl ze naar de deur loopt.

'Ja, erg lief van je. Kind, wat beweeg je toch mooi. Je wordt een geweldige actrice, Sofie', zegt haar tante vol vertrouwen.

Felix – Alles moet weg

Zaterdag 11.30

Felix wrijft in zijn handen. Dertig. Dertig flessen op de lange eettafel, blinkend in het zonlicht: groen, wit met de weerschijn van de rode wijn erin, goudglanzende cognac en whisky. Hij staart nog even naar de stad van glas – allemaal torentjes – op tafel en loopt dan naar de hal. De kapstok. Een leren jas. Nee, eerst naar boven, hij moet een kledingrek hebben, zo'n ijzeren ding met wieltjes, waar hij alles aan kan hangen. Langzaam loopt hij de trap op. Vijftien treden. Hij duwt de deur van de slaapkamer van zijn ouders open. In een hoek ontdekt hij een rek waaraan een keurig rijtje gestreken overhemden van zijn vader hangt. Op de toilettafel staat een serie flesjes – net een poppenserviesje – en de grote spiegel erboven weerkaatst zijn bleke gezicht en zijn lijf, alleen zijn onderbenen en voeten ontbreken. Alsof hij gevangen zit in zijn eigen spiegelbeeld. Hij schudt zijn hoofd en richt zijn blik weer op de toilettafel. Naast de flesjes staat een kistje. Sieraden. Hij klapt het deksel open. Armbanden, horloge, ringen en wat kettingen. Hij tilt ze van hun zwartfluwelen bedje en propt ze in de zakken van zijn broek. Dan loopt hij door naar de kleedkamer van zijn moeder. Kasten aan weerszijden met spiegelende schuifdeuren, hij ziet zichzelf te vaak, veel te vaak. Even sluit hij zijn ogen. Verdomme, fucking zooi! Dan opent hij ze weer en schuift de deuren open. Zijn ogen flitsen langs de planken en hangers. Tasjes, schoenen, nee, geen schoenen. Riemen wel. En glitterjurken. Hij loopt terug naar de slaapkamer, tilt de hangers met overhemden van het rek en gooit ze op het brede bed. Dan draagt hij het rek de trap af. Vijftien treden. Ja, vijftien euro per fles, dat is een nette prijs. Hij loopt met het rek naar de eetkamer, zet het neer en haalt een paar keer diep adem. Alles komt dik in orde. Zo dik als de kont van een nijlpaard. Hij haalt de jas, tassen, riemen en avondjurken van boven en hangt ze aan het rek. Zo, bijna twaalf uur. De show kan beginnen.

De deurbel klinkt. Felix loopt naar de hal en trekt de deur open. Twee vrouwen van middelbare leeftijd kijken hem gretig aan. 'We lazen op SaleSite over de verkoop, zijn we hier op het goede adres?' vraagt de dikste. 'Ja, komt u binnen', nodigt Felix ze uit. Langs hun hoofden ziet hij in de verte een man de laan opwandelen. Hij besluit de deur open te laten staan en volgt de twee vrouwen naar de woonkamer.
'Gaaf jurkie, zeg', wijst de forse vrouw naar een paarse avondjurk met pailletten.
'Ja, ééénig, schat, staat je vast geweldig, is van die lekkere rekstof', reageert de dunne enthousiast.
'Wat kost-ie?' vraagt de dikke dame.
'Hij was nieuw driehonderd euro, u mag hem hebben voor vijftig', zegt Felix alsof hij iedere dag op de markt staat.
'Nou, prijzig hoor', reageert ze snibbig.
Stomme trutten, graag of niet.
'Maar wel kwaliteit, mevrouw, en de nieuwste mode uit Parijs', verzint hij.

Er komt een oude heer binnenwandelen in een lange, donkerblauwe overjas. Komt vast voor de drank, gist Felix. De man loopt op de eettafel af en maakt een rondje om de flessenstad. Dan pakt hij voorzichtig een fles rode wijn van de tafel en bestudeert het etiket aandachtig.

'Is het wat voor u?' vraagt Felix.

'Ja, zeker, klassewijn is dit. Wat vraagt u ervoor?' informeert de man beleefd.

'Vijftien euro per fles, allemaal', antwoordt Felix.

De man trekt zijn wenkbrauwen op en kijkt hem indringend aan.

'Heeft u verstand van wijnen, jongeman?'

'Nou, een beetje. Vindt u het te duur, dan?' vraagt Felix.

'Integendeel, integendeel, het is te geef. Ik neem er vijf mee', antwoordt de man. Hij trekt zijn portemonnee en drukt Felix vijfenzeventig euro in zijn hand.

'Bedankt', antwoordt Felix. De man haalt een plastic tas uit zijn zak en laat er voorzichtig de vijf flessen in zakken. Hij maakt een kleine buiging naar Felix en verlaat het huis.

'Ik neem um, tis zo'n schatje, kan hem niet laten hangen', zucht de gevulde vrouw.

'En ik neem dit tassie, wat moet-ie kosten?' vraagt de andere vrouw, terwijl ze een zwartleren tas omhooghoudt.

'Die kost twintig euro, echt leer uit Marokko', improviseert Felix snel.

'Rib uit mun lijf maar ik neem um', zegt ze en geeft Felix twintig euro.

De dikke vrouw pakt het paarse jurkje van de hanger aan het rek en stopt hem in haar boodschappentas.

'Veertig, zei je?' probeert ze.

'Nee, mevrouw, vijftig, ik moet er ook van rondkomen', houdt hij vol. Ze moest eens weten hoe hard hij het nodig heeft. Met een zuinig gezicht haalt ze haar portemonnee tevoorschijn, tuurt naar de inhoud en trekt er met zichtbare tegenzin een biljet uit.

'Nou, hier dan, veel plezier ermee', zegt ze bits.

'U ook, dames', zegt hij vrolijk. De zaakjes gaan goed. Tien minuutjes bezig en al honderdvijfenveertig euro verdiend! Een goudmijntje is het! De twee vrouwen krijgen de sieraden op de hoektafel in het oog, flonkerend op het donkere hout. Ze snellen eropaf en grijpen gulzig tussen de ringen.

'Oh, kijk dan, wat een snoepie!' kraait de dikke.

Zware voetstappen klinken op de houten vloer. Felix wendt zijn blik van de vrouwen af en draait zich om naar de deur. Zijn kaken verstrakken, het is of ze opeens bevriezen. Hij kijkt recht in de koude ogen van een kale man. Niet zomaar een kale man. Het is die klotekale van gisteren. De man loopt op hem toe en komt dicht – veel te dicht – naast hem staan.

'Waar ben jij mee bezig, mannetje?' fluistert de man in zijn oor. Felix voelt speekselspettertjes als een motregen tegen zijn oorlel sproeien, gatver.

Felix doet snel een stap opzij, slikt en antwoordt: 'Geld verdienen voor Ludo, dat wil je toch?'

De man klakt met zijn tong en schudt meewarig zijn hoofd.

'Nee, nee, niet zo, dit is vals spelen. Je moet het wínnen, dat weet je toch?' zegt hij op een treiterend toontje.

'Geld is geld. Ik moet hem vijfhonderd euro betalen en dat krijgt-ie', reageert Felix. Hij voelt een kille vlaag door zijn maag trekken.

'Niks ervan, mannetje. Het geld mag alleen verdiend worden met wedden, zo zijn de regels. Dit hier is veel te simpel, hier is geen lol aan. Alhoewel…' zegt de kale en laat zijn ogen door de kamer dwalen. Zijn blik blijft even rusten op de eettafel. Dan loopt hij naar de vrouwen in de hoek van de kamer toe.

'Wegwezen, bitches', dreigt hij zacht maar duidelijk.

De dikke vrouw kijkt met een giftige blik op en opent haar mond. Haar vriendin zegt 'sssht' en trekt haar aan haar arm mee naar de deur. Haastig verdwijnen ze naar buiten.

'Wat wil je nou, man?' vraagt Felix nerveus. Zijn tong kleeft zowat tegen zijn verhemelte, zo droog is het in zijn mond.

'Ludo houdt niet van valsspelers en betweters. Hij heeft er zelfs een pesthekel aan. Dus ik zal je leren', zegt de kale man, 'om niet meer zo bijdehand te doen.' Hij beweegt naar de open haard en grijpt daar een ijzeren pook van het haardstel. Felix deinst achteruit, zijn benen trillen. De kale loopt naar de eettafel, neemt de pook als een golfclub in zijn hand, zwaait naar achteren en laat de staaf met kracht tegen de flessen knallen. De glazen stad spat uit elkaar. Rode wijn druppelt als bloed van de tafel, langs de poten naar beneden. Scherven vliegen door de kamer en kegelen rinkelend voor Felix' voeten op de parketvloer neer. De kale blijft meppen, maaiend over de tafel, totdat alle flessen gebroken zijn. Dan draait hij zich met een brede grijns om naar Felix.

'Zo jongen, alles moest toch weg? Dat heb ik zelf gelezen op SaleSite. Nou, ik heb het ff voor je geregeld, bedank me maar.' Felix bijt op zijn lip. Het liefst zou hij die kale doodmaken, morsdood. Dat logge lijf in de scherven op de vloer drukken tot hij aan alle kanten bloedt als een rund. Maar zijn voeten lijken vastgespijkerd aan de grond, verstijfd staat hij te kijken naar de man die hem nu bulderend uitlacht. De kale gooit de pook van zich af. Kletterend komt de staaf neer op de parketvloer en glijdt door totdat hij met een knal tegen een stoelpoot tot stoppen komt. De kale wrijft in zijn handen, loopt door de kamer, grijpt een zilveren avondjurk van het rek en roept: 'Leuk voor mijn vriendin, zal d'r mooi staan!' Dan kijkt hij Felix strak aan en vraagt: 'Denk je niet?'

Felix wil antwoorden maar er komt geen geluid uit zijn kurkdroge keel. Hij kan alleen maar ja knikken.

'Goed geantwoord, vind ik ook. Luister, vanavond krijg je nog een kansje van Ludo, maatje. Dan kun je honderd euro verdienen. Als je niet meedoet, loopt je schuld niet op. Niks te verliezen dus, alleen maar te winnen. Om acht uur bij het gemeentehuis, dat weet je wel te vinden, hè?' vraagt de man vrolijk. Het licht glanst kil op zijn kale schedel, het is net een doodshoofd, zo wit.

Felix knikt.

'En geef me nu het geld maar dat je met vals spelen verdiend hebt, dat is je boete', commandeert de kale en steekt zijn dikke vingers uit. De blauwe ogen kijken hem kil aan. Weigeren heeft geen zin, weet Felix. Hij haalt het geld uit zijn zak en geeft het af. 'Braaf', zegt de kale, 'en heb je nog een plastic tasje voor me?' Hij steekt met spottende ogen zijn armen naar voren. Felix ziet de zilverglinsterende avondjurk van zijn moeder als een grote, dode vis over de behaarde arm hangen en voelt zich misselijk worden.

Hij schudt zijn hoofd en kijkt naar de grond. Pas als hij geen voetstappen meer hoort, tilt hij zijn hoofd weer op.

Roerloos staart Felix naar het gebroken glas op de vloer. Groene, witte en lichtbruine scherven lijken als hoekige haaientanden uit het hout te steken. Hij balt zijn handen tot vuisten en snuift. Hij haat ze, haat ze, maar wat kan hij doen? Ze hebben hem in hun macht, hij moet gehoorzamen. Opruimen, hij moet alles schoonmaken voordat Sofie terugkomt. Er klinkt een kuchje in de deuropening. Hij draait zijn hoofd met een ruk naar de deur.

'Tjonge, jonge, wat een chaos hier. Heb je een wild feestje gehad?' vraagt de man op de drempel nieuwsgierig.

Felix schraapt zijn keel. 'Nee, ja… het is een beetje uit de hand gelopen. Komt u voor de verkoop?'

'Ja, is er nog wat?' vraagt de man terwijl hij de kamer binnenkomt. Felix knikt naar het rek. De man loopt ernaartoe, bekijkt de kleren keurend en haalt dan een bruinleren jas van de hanger. Hij past hem aan.

'Precies wat ik zoek en hij zit goed. Hoe duur?'

'Zestig euro', zegt Felix.

'Ah, dat is jammer. Hier zitten rode wijnspetters, zie je dat?' wijst de man naar de zoom aan de voorkant van de jas. Felix voelt zijn hoofd warm worden. Beheers je, Fix, die vent heeft gelijk. Kalm, kalm.

'Ja, ik zie het. Vijftig euro dan', zegt Felix schor.

'Goed,' antwoordt de man, 'ik hou de jas aan, hier is het geld.' Felix neemt het biljet aan en knikt 'bedankt'. Hij volgt de man naar de hal en sluit de voordeur achter hem. De open dag is voorbij voordat hij echt begonnen is. Het leek zo'n klasseplan, wás het ook. Klotekale rotzak. Eerst een blowtje, en dan de zooi opruimen. Het gemeentehuis vanavond… wat zou het plan zijn?

Hij haalt de kruiwagen uit de schuur, gooit er een schop in en wielt hem via de hal de eetkamer in. Met de schop schuift hij als een bulldozer de scherven bij elkaar en laat ze in de metalen bak van de kruiwagen spatten. Dan pakt hij de bezem en stoffer en blik uit de bijkeuken, veegt de splinters op en gooit ze boven op de scherven. Daarna smijt hij de schop weer in de kruiwagen en kruit de lading naar buiten, via de voordeur, over de oprijlaan, tussen de bomen door verder het bos in. Zweetdruppels jeuken op zijn rug. Hij parkeert de kruiwagen, grijpt de schop en klieft het ijzer in de grond. Af en toe stopt hij even met graven om op adem te komen. Als het gat groot genoeg is, kiept hij het glas uit de kruiwagen op de donkere aarde. Een flessengraf. Hij dekt het glinsterende glas toe met grond en stampt het stevig aan met zijn schoenen. Dan strekt hij kreunend zijn rug. Nog ff met een doek de drank opvegen en dan heeft Fix het weer gefikst. Juist als hij de garagedeur weer sluit, komt Sofie aanfietsen over de oprijlaan. Shit, net te vroeg! Ze fietst hard, haar korte donkere haren staan stekelig rond haar hoofd, rechtop in de wind. Vlak voor hem remt ze, springt van haar fiets en vraagt:

'Hoi! Moet ik je nog helpen voor het feestje morgen?'

'Neuh, ik red het wel. Alleen nog wat chips kopen en dan is het klaar.'

'Zal ik thee zetten? Kletsen we even en dan moet ik om drie uur op de toneelacademie zijn', vertelt Sofie terwijl ze de open voordeur binnenwandelt.

'Nee, hoeft niet, ga jij maar gerust weg, ik…' zegt hij haastig.

Sofie staat stil en snuffelt als een jachthond.

'Jakkie, wat ruik ik', onderbreekt ze hem. Ze draait zich om en kijkt hem strak aan.

'Wat heb je gedaan?'

'Niks, nou ja, ongelukje. Ik heb per ongeluk wat flessen wijn en zo laten vallen in de eetkamer', antwoordt hij.

Sofie loopt de eetkamer binnen en geeft een gil.

'Jee, Fix, wat een troep! Als mama dit ziet, wordt ze gek! Het lijkt hier wel een slachthuis, met al die plassen op de vloer, gatsie!'

'Ik wilde het net opvegen, komt wel goed', reageert hij kortaf. Haar opgefokte gedoe maakt hem nerveus. Laat ze verdomme opzouten.

Sofie staart weer naar de vloer, kijkt hem dan zwijgend aan en zegt zacht:

'Fix… moeten we dat feestje wel door laten gaan? Ik heb er zo'n slecht gevoel over…'

'Kap nou eens met dat gezeur. Alles komt goed, paar vrienden, beetje muziek, wat drankjes, that's all', zegt hij zo kalm mogelijk.

'Ik weet het niet… straks komt die enge belvriend van je ook…' houdt ze aan.

'Sof, hou je kop! Het komt goed, oké, stop met je gezeik, verdomme!' barst hij uit. Zijn ogen voelen alsof ze ieder moment uit hun kassen kunnen springen. Woest balt hij zijn vuisten. Sofie doet een stap achteruit en kijkt hem strak aan.

'Fix, hou op met schreeuwen! Ik vind het gewoon geen goed idee. Waarom wacht je niet een weekje?'

'Dat kan niet, heb ik toch al gezegd, iedereen komt!' schreeuwt hij.

'Papa en mama weten ervan, zei je. Weet je dat wel zeker?' vraagt ze, terwijl ze haar ogen toeknijpt als een valse kat. Stomme bitch, nu gaat ze echt te ver.

'O, wat zijn we weer braaf! Nou moet je eens goed luisteren. Als jij mijn feestje verpest, zal ik jouw toneelstukje eens gaan verzieken. Dan kun jij je ontdekking vergeten, trut', valt hij fel uit. Sofies mond valt open, ze hapt naar adem.

'Hoe kún je zo gemeen doen!' gilt ze. Haar wangen lopen vuurrood aan. Nooit eerder heeft hij haar zo hels gezien. Shit, ze moet een beetje dimmen, zo dadelijk flipt ze. Een blowtje zou helpen, maar dat doet ze niet, de saaie trut.

'Sorry, sorry, ik meen het niet, echt niet. Weet je, ik wil gewoon niet voor paal staan voor mijn vrienden, snap je… sorry, Sof, ik bedoelde het echt niet zo lullig', sust hij haastig. Hij loopt naar haar toe en legt een hand op haar schouder. Ze schudt zijn vingers af en kijkt hem kwaad aan.

'Ik snap heus wel dat je dat feestje wilt geven. En ik ben echt niet zo braaf, hoor. Als jij maar belooft dat het geen zootje wordt, vind ik het best', snauwt ze.

'Ja, ja, natuurlijk. Het wordt gezellig, echt waar, je zult het hartstikke leuk vinden', bezweert Felix.

Ze kijkt hem doordringend aan en zegt: 'Oké dan. Maar dan moet je niet meer van die idiote dingen zeggen en doen. Ik heb geen zin in ruzie. Die paar dagen dat we met zijn tweetjes zijn moeten we het toch leuk kunnen hebben?'

'Precies! Daarom geef ik ook een feestje!' roept Felix uit.

Sofie zucht diep en vraagt: 'Zouden papa en mama nog bellen?'

'Ja, vanavond. Ben jij dan thuis? Want ik moet weg, afspraak om acht uur', zegt Felix.

'Tuurlijk ben ik thuis, ik ben toch je brave zusje', zegt ze kort-af.

Sofie – De casting

Zaterdag 14.55

Dolf en Jikke staan te wachten voor de grote deur van de toneelschool. Sofie zwaait naar ze en zet haar fiets in het rek voor het gebouw. Ze rent naar ze toe en zegt hijgend: 'Hoi, zullen we?'

Dolf duwt de houten deur open. Het voelt alsof ze een heiligdom binnenstappen, vindt Sofie. Hoge, galmende gangen waarin gekleurd licht binnenvalt door de glas-in-loodramen. Hun hakken tikken op de plavuizen vloeren terwijl ze de gele kartonnen pijlen 'CASTING' volgen naar een grote zaal. Voor in de zaal, op het podium, staat een groep jongens en meisjes, ouder dan zijzelf. Dat zullen studenten zijn. Bij de ingang van de zaal zitten twee jongens achter een tafel met een groot vel papier voor hen. Jikke en Dolf hebben zich ingeschreven. Nu is het haar beurt.

'Mag ik je naam en telefoonnummer?' vraagt een van de jongens.

'Sofie Verpoort, 06-30340488', antwoordt ze. De andere jongen schrijft de gegevens op een papieren sticker, trekt hem van het grote vel en reikt hem haar aan. 'Die kun je op je trui plakken, dan weet de regisseur wie je bent', zegt hij. Ze knikt, aarzelt even en vraagt dan:

'Is Victor Sanderein er ook vandaag?'

'Ik geloof het wel, maar weet het niet zeker', antwoordt de jongen.

'Dus that's the question?' reageert ze. Hij glimlacht breed en antwoordt: 'Indeed it is.'

Ze draait zich om en loopt de zaal verder in. Jikke en Dolf staan al in een rij te wachten. Ze wuiven vrolijk naar haar.

'Dag jongedame', hoort ze opeens een zware stem naast zich. Ze houdt in en kijkt opzij. Een gedrongen man staat naast haar, zijn modderbruine ogen kijken haar onder borstelige wenkbrauwen aan.

'Dag', groet ze terug en wil weer doorlopen.

'Mag ik me aan je voorstellen; ik ben Victor Sanderein. Ik hoorde dat je naar me vroeg?' reageert de man vriendelijk.

'Oh, sorry, ik wist niet…' verontschuldigt ze zich snel.

'Nee, hoe kon je dat ook weten? De meeste mensen denken dat ik een slager ben. Ik zie er niet zo elegant uit als men verwacht van een artistieke beroepsbeoefenaar', zegt hij met een glimlach.

'Nou, nee, geen slager, eerder een… worstelaar.'

'Dat vind ik een compliment. Maar waarom zocht je me?' informeert hij. Zijn woorden komen traag uit zijn mond, alsof hij ze eerst een voor een op zijn tong proeft.

'Euh, ja, ik hoorde dat u maandagavond bij de generale repetitie van ons toneelstuk op school komt kijken. Het leek me leuk om u alvast te zien. Ik wil straks heel graag naar de toneelschool', vertelt ze verlegen. Ze durft de man niet aan te kijken, wat zal hij denken? Hoeveel mensen zullen wel niet bij hem slijmen, zijzelf inclusief, om op zijn school te komen. Bah, eigenlijk walgt ze nu van zichzelf!

'Ja, acteren is een passie, net als muziek, dat zit in het bloed', zegt hij, 'welk stuk spelen jullie ook alweer op school?'
'Love's Labor's Lost van Shakespeare', antwoordt ze.
'Interessant. En ik wil je graag zien spelen, Sofie', zegt hij.
'Nou, leuk!' antwoordt ze, terwijl ze haar wangen voelt branden.
Hij kijkt haar nadenkend aan en zegt dan:
'Mag ik je iets vragen? We gaan een promotieposter maken voor het volgende studiejaar die we willen verspreiden op middelbare scholen. Jij hebt een expressieve uitstraling. Mag ik een foto van je nemen? Dan kan ik je gezicht voorleggen aan het promotieteam. De echte foto's gaan we in het voorjaar maken.'
'Ja, natuurlijk, geweldig!' reageert ze enthousiast. Hij neemt zijn mobiel uit de zak van zijn suède jasje, richt het lensje op haar en klikt. Dan haalt hij een opschrijfboekje tevoorschijn uit zijn andere zak en schrijft haar naam en telefoonnummer op. Hij klapt het boekje weer dicht en bergt het op.
Daarna steekt hij zijn rechterhand naar haar uit, drukt haar vingers krachtig en zegt: 'Sofie, succes.'

De rij voor haar krimpt snel. Als ze aan de beurt is, vraagt de regisseur haar om een stukje te wandelen. Hij volgt haar met een kritische blik. Dan vraagt hij haar verschrikt te reageren. Hij bestudeert haar nog even keurend en knikt dan.
'Ben je vijftien september vanaf acht uur 's avonds beschikbaar?' informeert hij dan.
Ze knikt.
'Dan doe je mee', zegt de man, terwijl hij haar gegevens noteert op een lijst.
'Super, waar moet ik zijn?'
'In de stadsschouwburg, we bellen je nog.'

Sofie draait zich om en zoekt met haar ogen Dolf en Jikke. Ze staan halverwege de zaal en wenken haar. Ze snelt op ze toe, haar wangen gloeien. Alles lijkt te lukken vandaag!

'Ik mag meedoen, joepie', zegt ze jubelend.

'Wij ook', zegt Dolf. Hij kijkt haar aandachtig aan en zegt dan: 'Je bent gelukkig, hè?'

Ze knikt. Hij glimlacht en zegt: 'Ik ben heel blij voor je, Sof.'

'En weten jullie wat er nog meer gebeurde?' vraagt ze.

'Uhm... je werd ontdekt door Steven Spielberg?' vraagt Jikke.

'Bijna! Ik heb even gesproken met de directeur van de school. Misschien kom ik in het voorjaar op hun promotieposter te staan', vertelt ze enthousiast.

'Zij weer! Jij hebt ook altijd geluk, ik loop alle leuke dingen mis. Waar is die man?' vraagt Jikke quasi wanhopig.

Sofie kijkt om zich heen en laat haar blik langzaam over de mensenmassa glijden. Het geroezemoes klinkt als van een murmelend publiek voor een voorstelling.

'Sorry, Jik, ik zie hem niet meer', zegt ze.

'Het leven is wreed', zucht Jikke.

'Ja, het leven is wreed', zegt Dolf zacht en hij kijkt Sofie strak aan.

'Nou, nou, niet zo depri doen. Als ik straks beroemd ben, zal ik jullie niet vergeten', reageert Sofie luchtig.

'Dolf, ga je nog even mee naar mij, die scène oefenen waarbij iedereen iedereen bedriegt? Waarbij de mannen zich verkleed hebben als Russen en de vrouwen maskers dragen. Belachelijk ingewikkeld gedoe. En ik kan die zinnen ook maar niet onthouden. Wie verzint er nou zoiets?' zegt Jikke terwijl ze haar ogen naar boven draait.

'Shakespeare, de grootste toneelschrijver ooit', antwoordt Sofie waardig.

'Ga jij ook mee?' vraagt Dolf aan Sofie.

'Ja, tuurlijk gaat ze mee. Zij moet zeggen of we het goed doen, zij heeft er verstand van, onze toekomstige ster', spot Jikke lachend.

'Alleen als ik lekkere groene thee krijg, ik heb nu al sterallures', reageert Sofie.

'Die hebben we, kom op, we gaan', beslist Jikke.

'Eerst oefenen, dan thee', bedingt Sofie als ze de voordeur van Jikkes huis binnengaan.

'Jij bent ook altijd zo serieus. Weet je nog wat Vrens gisteren zei? Over wat Shakespeare met het toneelstuk wil zeggen?' vraagt Jikke, terwijl ze de trap oploopt.

'Nee, dat kan ik me niet herinneren', zegt Sofie verbaasd.

'Jij was even naar de wc toen hij dat vertelde', reageert Dolf.

'Wat zei Vrens dan?' vraagt Sofie.

'Ik weet het niet precies meer, maar het ging er in ieder geval over dat Shakespeare vond dat je vooral niet te hard moet studeren', zegt Jikke streng als ze haar kamer binnenlopen.

Dolf schudt zijn hoofd en lacht kort: 'Nou, Jik, dat klopt niet helemaal, Vrens zei dat het toneelstuk gaat over de gevaren van overdrijving. De koning overdrijft zijn studie ten koste van plezier en de liefde. En daarna overdrijft hij de verliefdheid weer zodat die bespottelijk wordt. Maar alles maakt deel uit van het leven, volgens Shakespeare, alles moet in balans zijn. Wees niet te streng maar ook niet te los, zei Vrens. En hij zei ook nog dat sommige mensen te dom zijn om wát dan ook te begrijpen: die bakken niks van hun studie en ook niks van de liefde.'

'Bedoel je mij daarmee, of zo?' vraagt Jikke vinnig.

'Nee, helemaal niet!' lacht Dolf.

Sofie gaat op Jikkes bed zitten en vraagt: 'Vinden jullie mij echt zo streng?'

'Mmm, een beetje wel, Sof, het kan wat losser. Shake it, baby', grinnikt Jikke terwijl ze met haar schouders schudt, 'we gaan op het feestje van Fix lekker los, oké?'

'In mijn nieuwe jurkje?'

'Yes, helemaal perfect', knikt Jikke.

'Feestje van Fix?' vraagt Dolf.

'Zondagmiddag om drie uur bij ons in het boothuis. Kom je ook?' vraagt Sofie.

'Ja, dat wil ik niet missen, twee swingende adellijke dames.'

'Maar nu oefenen', Sofie klapt in haar handen en imiteert Vrens, 'let's begin.'

'Nee, wacht, spelen jullie het eerst maar een keertje voor. Sof, jij moet beginnen met die zin over de zon en daarna ben je Rosaline die doet of ze de prinses is. Toe maar', commandeert Jikke.

Sofie zegt in de rol van Berowne:
'Laat ons uw gezicht zien, prinses,
stralend als de zon, zodat wij het
als heidenen kunnen aanbidden.'

Dan vervolgt ze, in haar rol van Rosaline:
'Nee, mijn gezicht is als de maan,
een bewolkte nog wel.'

Dolf reageert hoffelijk als de koning:
'Dan hebben die wolken een prachtige taak,
zo dicht bij uw mooie gezicht, prinses.
Mag ik vragen om een dans met u.'

Sofie strekt haar hand uit naar Dolf en antwoordt:
'Omdat u vreemdelingen bent en toevallig passeert,
zullen we niet te streng zijn, neem mijn hand,
maar dansen zullen we niet.'

'*Waarom zouden we elkaars hand dan nemen?*' vraagt Dolf.

Sofie antwoordt:
'*Om ze te schudden en afscheid te nemen als vrienden.*'

Jikke zucht en zegt: 'Oh, kon ik het maar zo goed als jij, Sof.'
'Allemaal een kwestie van oefenen. Nu jij', antwoordt Sofie.
'Eerst thee?' vraagt Jikke.
'Ja, eerst groene thee', beslist Dolf. Hij steekt zijn hand uit
naar Sofie. Ze legt haar vingers in de zijne, laat zich overeind
trekken van het bed en zegt lachend: 'Ik ga niet met je dansen,
hoor.'
'Dat doen we zondag, beloof je me dat?' zegt hij terwijl hij
haar hand vasthoudt.
Sofie knikt glimlachend en slaat haar ogen neer.

Felix – Gekken en dwazen

Zaterdag 19.40
'Wil jij nog wat spaghetti van gisteren?' vraagt Sofie aan Felix.
'Nee, ik heb geen honger. En ik moet gaan, ik heb beloofd om acht uur in de stad te zijn', antwoordt Felix. Gatver, eten, hij moet er niet aan denken. Hij heeft twee biertjes op, dat vond-ie wel verdiend na al dat geploeter. Nog even een blowtje bui-ten en dan moet het maar kunnen, dan lust hij die kale rauw. Nou, nee, dat niet, maar dan kan hij hem 'hebben'.
'Met wie heb je afgesproken?' vraagt Sofie. Ze kijkt hem scherp aan. Tjesus, alsof ze hun moeder is of zo, nee, zelfs die doet niet zo pinnig als Sofie. Die kan het eigenlijk weinig schelen wat hij uitvreet.
'Met Gus. We gaan stappen', antwoordt hij.
'Oh, is dat wel slim? Morgen heb je je feestje…' zegt Sofie.
'Ik probeer op tijd terug te zijn', reageert hij kortaf. Sjees, wat een gezeur!
'Heb je de huissleutel bij je?' informeert ze.
'Yep, ik zal jouw schoonheidsslaapje niet verstoren, Sof. Je doet zo gestrest… waarom ga je eigenlijk niet mee stappen?' Hij kan het gerust vragen, ze zegt toch nee, zeker weten.

'Nee, ik blijf thuis. Moet morgen oefenen voor toneel en daarna jouw feestje. Ik had eigenlijk vanavond samen met jou een film op tv willen kijken, maar ja, jij moet weg…'

Wat is het toch een saaie, die zus van hem. Het lijkt wel of ze aan het oefenen is voor later, als ze bejaard is. Hij slikt een snauw in en antwoordt vrolijk:

'Doen we een ander keertje, Sof. Tot morgen.'

Hij verlaat de keuken, loopt door de hal naar buiten en klapt de voordeur achter zich dicht.

In het schijnsel van de buitenlamp draait hij een stickie. Dan pakt hij zijn fiets, stapt op en rijdt langzaam het pad naar de weg af. Onderweg steekt hij zijn stickie aan en inhaleert diep. Gemeentehuis, kwartiertje fietsen, wat zou de opdracht zijn? Hij voelt zijn maag tintelen. Het is klote dat hij in de tang zit maar de spanning… die is kicken. Het lijkt misschien wel op verliefd zijn, terwijl je niet weet of de ander ook op jou is. Wel of niet, winnen of verliezen. Daarom was hij er ook aan begonnen, die eerste keer. Een maandje geleden was dat, bij de jeugdsoos. Hij was buiten aan het pauzeren na wat potjes poker, blowtje roken. Een jongen van een jaar of achttien was op hem afgelopen, hij had hem nooit eerder gezien.

'Ben jij Felix?' had hij gevraagd.

'Hoezo?'

'Ik wil weten of ik de juiste man voor me heb. Ik heb een klusje, betaalt goed', had de jongen gezegd met een brede grijns.

'Ik hou niet van klusjes', had hij kortaf geantwoord.

'Maar deze wel, wedden? Jij houdt toch van pokeren?'

'Vertel op, dan', had hij gezegd. Het maakte hem ook geen moer uit, eigenlijk. Na een paar biertjes en blowtjes is alles even goed en slecht.

'Ik heb iemand nodig die wil pokeren, groffe inzet. Ik hoorde dat jij een sterke speler bent. Je krijgt honderd euro van me om in te zetten. Zin?'

'Waar?'

'We spelen in de stad, in snookercentrum 'Pull'. Ken je dat?'

'Yep. Honderd euro, zei je?'

De jongen had geknikt en gevraagd: 'Over een halfuurtje daar, red je dat?'

Felix had 'oké' gemompeld en de jongen was vertrokken. Felix had geen behoefte gevoeld om meer vragen te stellen, niet aan de jongen en ook niet aan zichzelf. Hij was gegaan, had gepokerd en verloren. Toen was het spel pas echt begonnen, maar dat had hij te laat begrepen.

Hij gooit zijn peuk van zich af, fietst de hoofdstraat door en rijdt het grote tegelplein voor het gemeentehuis op. Het is een modern, hoekig gebouw. Ziet eruit of een kleuter zijn blokkendoos omgekieperd heeft, vindt Felix, de architect had vast een blowtje te veel op. Bij de ingang leidt een brede trap naar een bordes voor de grote, glazen deur. Het glas glinstert als een rechthoekige waterplas in de hoge, betongrijze gevel. Boven het bordes zweeft een luifel aan dikke staalkoorden. Stralen halogeenlicht boren vanuit de overkapping op het bordes en verlichten de gevel en glazen deur. Op de tweede traptree zit de kale, zijn grote laarzen een tree lager. Felix fietst naar de trap toe en stapt af.

'Daar ben je dan. Precies op tijd', gromt de man.

'Zolang het geen school is, lukt dat wel. Hoe heet je eigenlijk?' vraagt Felix.

'Gaat je geen donder aan. Parkeer die fiets maar, dan kun je aan het werk', antwoordt de kale kortaf.

Felix zet zijn fiets tegen de trapleuning en loopt naar de man toe. Die komt overeind en voelt in zijn zak. Hij haalt een metalen spuitbus tevoorschijn.

'Zo, kun jij een beetje netjes schrijven?' vraagt hij grijnzend.

Zijn grote, gele tanden glimmen tussen zijn lippen.

'Gewoon', antwoordt Felix onverschillig. Hij heeft niets te verliezen, heeft de kale gezegd, stuk relaxter is dat. Hij kijkt naar de bus in de grote hand.

'Hiermee', zegt de kale terwijl hij de bus omhooghoudt en hem schudt, 'ga jij wat op de muur van het gemeentehuis schrijven. Lekker groot.'

Felix lacht breed. 'Is dat alles?'

'Ja. Tenminste... voor nu.'

'Mag ik zelf weten wat ik schrijf?'

'Nee, dat niet, dat zou te lollig zijn. Ken je dat spreekwoord: gekken en dwazen schrijven hun naam op muren en glazen', grinnikt de kale.

Felix haalt zijn schouders op, neemt de bus aan van de man en vraagt: 'Wat moet ik schrijven?'

De man drukt hem, een voor een, vijf biljetten in zijn hand, ieder biljet gaat vergezeld van een woord.

Felix protesteert: 'Nee, dat doe ik niet.'

'Knul, wat maak je je druk! Het is maar een geintje... en het verdient makkelijk, toch?'

Ja, hij heeft wel gelijk, denkt Felix, en knikt dan. Wat maakt het hem ook uit. En er is niemand die hem ooit zal verdenken.

'Ik kom straks controleren of het gelukt is. En je moet zorgen dat niemand je ziet, want het is natuurlijk wel verboden. Kom op, aan het werk', commandeert de kale.

Felix loopt de trap op en gaat rechts van de deur staan. De muur strekt zich als een loodgrijs schoolbord uit. Hij haalt de dop van de bus en spuit kort op het steen. Knalgeel. Hij draait zich om en ziet de kale de trap afdalen, zijn brede schouders schommelend onder de lange jas. Op het plein is het rustig, een paar wandelaars lopen in de verte voorbij, niemand die hem in de gaten heeft. En nou opschieten, want hij staat nogal in de schijnwerpers op dat bordes. Als een popster op een podium, als Sofie op het toneel. Hij keert zich naar de muur en begint te spuiten. De verf sist op de muur als boter op een bakplaat.

Hij pakt zijn fiets, kijkt nog een laatste keer naar boven – naar de reusachtige letters – en rijdt dwars over het plein, zo snel mogelijk weg van de muur. Hij heeft het gered, honderd euro verdiend. Plus de vijftig voor die jas maakt honderdvijftig. Nog driehonderdvijftig heeft hij nodig. Da's veel, dat redt hij nooit alleen met het feestje. Of hij moet meer mensen uitnodigen. Maar dan wordt het een zootje, zeker weten. Of een andere manier bedenken om aan geld te komen en wel nú. Wat? Wat!? Hij stopt onder een lantaarnpaal in een steegje om een jointje te draaien. Relax, man, ff denken. Geld. Hoe komt hij aan geld! En dan zonder dat die kale het merkt, want anders verziekt die de boel weer. Hij kan zich vermommen, met een bivakmuts of zo, dan wordt hij niet herkend. En dan? Het moet niet te ingewikkeld worden. Hij heeft alleen vanavond maar, meer tijd is er niet. Geld, waar is geld? Hij neemt een paar diepe halen van de joint. De mist in zijn hoofd smoort als een wattendeken de onrust. Hij ontspant en dan krult een glimlach rond zijn lippen. Ja, Fix, prachtidee, man! Hij rookt op zijn gemak zijn stickie op.

Een kwartier later loopt hij fluitend de bijkeuken binnen. Sofie staat bij de geopende koelkast en haalt een fles cola tevoorschijn.
'Hé,' zegt ze verrast', jij bent vroeg thuis!'
'Ja, we hebben even gesnookerd, Gus moest naar de verjaardag van een neef. Ik dacht, kunnen wij misschien samen nog even een filmpje kijken en dan op tijd naar bed', zegt hij.

'Super! Jij ook een colaatje?' vraagt ze, terwijl ze een glas inschenkt.

'Nee, ik heb liever een biertje, als je het niet erg vindt', glimlacht hij.

'Nou, eentje dan, dat mag nog net van je saaie zus', lacht ze en zet de colafles terug in de koelkast. De telefoon rinkelt door de hal.

'Dat zullen papa en mama zijn, pak jij hem?' zegt Felix. 'En doe ze de groeten.'

'Doe ik. Neem jij mijn cola vast mee naar de kamer?' zegt ze, terwijl ze naar de hal loopt om de telefoon aan te nemen.

Felix neuriet, trekt de koelkast open, neemt er twee blikjes bier uit en gooit de deur weer dicht. Dan grijpt hij een zak chips uit een bovenkastje, pakt het glas cola en loopt naar de kamer. Sofie is opgewekt aan het kletsen en geeft hem een knipoog als hij langskomt.

'Ja, het is heel gezellig, we redden ons prima. We gaan een filmpje kijken en dan vroeg naar bed', hoort hij Sofie babbelen. Hele goeie zet, Fix, kon niet beter. Iedereen blij.

'Morgen moet ik toneel oefenen', vervolgt Sofie in het toestel en zwijgt even.

'Ja, je weet wel, de toneeluitvoering op school, mam, daar heb ik je toch over verteld? Dinsdag is de voorstelling', zegt Sofie dan, geprikkeld. Mams heeft een geheugen als een theezeefje, ze zal het wel weer vergeten zijn. Arme Sof, denkt Felix, terwijl hij de chips en drankjes op de salontafel zet. Hij ploft op de bank en grijpt de tv-gids. Wat zullen ze eens gaan kijken? Het moet tot ongeveer halftwaalf duren, niet langer. Aha, een romantisch Engels kostuumdrama is net begonnen, ziet hij, dat vindt Sofie vast kicken. Het is maar waar je een kick van krijgt, hijzelf wordt wee van dat mierzoete gedoe. Klef en kleverig, bah. Maar hij zal het er voor over moeten hebben.

Sofie gaapt en rekt zich uit terwijl de aftiteling over het scherm loopt.

'Ik ga naar boven, jij ook?' vraagt ze geeuwend.

'Ik ruim nog even op, ga jij maar vast', antwoordt hij. Hij komt overeind en zet de tv uit.

Ze staat op, zegt 'trusten' en hij hoort haar de trap opgaan. Kwartiertje wachten, dan ligt ze in haar nest. Hij pakt de bierblikjes, het glas en de lege chipszak en loopt naar de keuken. De blikjes en zak gooit hij in de prullenbak, het glas zet hij in de vaatwasser. Keurig. Dan loopt hij naar de hal en kijkt op de plank boven de kapstok. Een muts moet hij hebben. Hij ziet alleen een gebreide tuttige zwarte van zijn moeder. Moet maar. Hij trekt hem over zijn hoofd en kijkt in de halspiegel. Ja, dat gaat lukken, twee gaten erin bij zijn ogen en eentje bij zijn mond. In de keuken pakt hij een schaar uit de la en knipt drie gaten in het breisel. Hij past de muts opnieuw in de hal en knikt tevreden. Perfect. Hij propt de muts in zijn achterzak, loopt terug naar de keuken en kijkt ongedurig naar de klok boven de deur. Shit, wat duurt dat wachten lang, de wijzers van de keukenklok sjokken traag over het uurwerk. Gek, dat mensen altijd haast hebben en wijzers niet, terwijl de tijd voor beiden even snel gaat. Hij schudt even met zijn hoofd. Soms denkt hij van die vreemde dingen. Kan hij nu niet gebruiken, hij moet helder zijn. Die biertjes had hij beter niet kunnen nemen. Hij hoort Sofie over de overloop sloffen – op die belachelijk grote konijnpantoffels van d'r – en dan sluit ze de deur van haar slaapkamer. Het kwartier is om. Het is tien voor twaalf, tijd om op pad te gaan. Hij pakt de sleutel uit de vensterbank en laat hem in zijn broekzak glijden. De bijkeukendeur kraakt als hij hem opent. Hij houdt even zijn adem in en trekt dan de deur zacht achter zich dicht. Sluipend beweegt hij zich om het huis, over de knerpende steentjes naar de garage. Even kijkt hij omhoog, naar het raam van Sofies kamer. Het licht floept uit. Hij neemt zijn fiets bij het stuur en loopt zacht over het grind. Weer kijkt hij om. Alles is donker. Hij stapt op en fietst over het pad naar de weg. Daar trekt hij de muts over zijn hoofd.

Voorzichtig steekt Felix de sleutel in het slot, bijna verbaasd dat hij precies past. Hij draait hem om, opent de deur en laat hem, als hij binnen is, op een kiertje staan. Op zijn tenen loopt hij door de hal naar de kamerdeur. Hij drukt de klink naar beneden en duwt de deur open. Maanlicht kiert tussen de gordijnen naar binnen en werpt een witte baan dwars door de kamer, over het kussen van tante Eva. Ze ligt op de bank onder een dekbed. Hij kan alleen een bultige omtrek onderscheiden, die rustig op en neer beweegt. Felix sluipt de kamer binnen en blijft even besluiteloos staan. Alles lag binnen handbereik van de stoel, had Sofie gezegd. Maar welke stoel? Er staan er drie. De grootste, waarschijnlijk. Daar staat ook een bankje voor met een kussen erop. Ja, dat moet hem zijn. Hij loopt op zijn tenen naar de stoel toe en tuurt op het tafeltje ernaast. Een leesbril, leeg glas, boek en yes, de portemonnee. Hij pakt de bruinleren portefeuille en maakt hem open. Pasjes, bonnetjes, fotootjes van Sof en hem – hoe oud waren ze toen, acht of zo – muntgeld in het ene vakje en dan, ja, biljetten. Zijn adem versnelt als hij twee briefjes van honderd uit het vakje trekt. Hij laat een briefje van vijftig zitten. Dan denkt ze misschien dat ze zich vergist heeft, hoopt hij. Zachtjes legt hij de portemonnee weer terug. Hij draait zich om en sluipt weer naar de deur, terwijl hij schichtig opzij kijkt. Tante Eva heeft zich niet bewogen maar de maan wel. De lichtstrook loopt nu als een streep over haar wangen, naar hem wijzend als een bleke vinger. Zo snel hij durft, verlaat hij het huis en trekt de voordeur behoedzaam achter zich dicht. Hij zuigt een diepe teug lucht naar binnen, alsof hij een eind onder water gezwommen heeft. Gelukt. Nu snel naar huis. Hij trekt de muts van zijn hoofd en schuift hem in zijn zak, springt op de fiets en rijdt de straat uit. Op de hoofdstraat passeert hij groepjes jongens.

Iemand roept: 'Hey, Fix, ga je mee stappen!' Felix kijkt om en herkent Gus en zijn vrienden.

Hij remt af en stopt naast Gus. Die vraagt: 'Alles kits?'

'Yep, ik ga naar huis. Op tijd pitten, zei je toch? Dat ga ik doen. En dan morgen lekker feesten.'

'Heeft die kale je nog gebeld?' informeert Gus.

'Euh… neuh, maar dat komt wel goed, man. Morgen stroomt het geld binnen. Pokeren met groffe inzet, dat tikt lekker aan. En dan de entree nog.'

'Daar verdien je nooit vijfhonderd euro mee, Fix,' reageert Gus, 'en die kale zag er niet uit of hij van geintjes houdt, die was bloedserieus.'

'Relax, Gus, ik heb al wat verdiend ondertussen. Ik heb nog maar tweehonderd euro nodig, dat red ik wel.'

'Wil je bulkend veel geld verdienen op je feestje morgen?' bemoeit Roy, een vriend van Gus, zich met het gesprek.

'Ja, wie niet?' reageert Felix.

'Dan heb ik nog wel een ideetje voor je. Pokeren is slap, je moet een marathon houden.'

'Een marathon?' vraagt Felix. Roy knikt en begint te vertellen. Felix luistert ademloos en kijkt geconcentreerd naar het pokdalige gezicht van de jongen. Als Roy uitverteld is, knikt Felix enthousiast en zegt:

'Cool, man, dat gaan we doen! Nodigen jullie maar zoveel mogelijk vrienden uit! Morgen om drie uur begint het, tien euro entree, gratis drinken!'

Helemaal goed dat plan van Roy, denkt hij, hard trappend naar huis. Dat wordt vet verdienen.

Sofie – Bedrogen

Zondag 11.10
Sofie haast zich de schooldeuren binnen en rent naar de aula.
Iedereen staat al te wachten, zij is de laatste. Vrens roept: 'Aha,
onze prinses is gearriveerd, dan kunnen we beginnen. We star-
ten de repetitie met de scène nadat de koning en edellieden, als
Russen verkleed, door de dames zijn doorzien. Erger nog, ze
zijn op hun beurt zelf beetgenomen door de gemaskerde dames. De bedriegers zijn dus bedrogen, hoe lossen ze het op? Of
liever gezegd: hoe loste Shakespeare het op?'

De prinses en haar hofdames betreden het podium, Boyet
voegt zich bij hen.

Boyet zegt tegen de prinses:
'Luister, dames,
de heren zullen deze nederlaag
niet zomaar over hun kant laten gaan,
ze zullen terugkomen in hun eigen kleren,
hoorde ik Berowne zeggen.'

De prinses vraagt peinzend:
'Wat doen we als ze weer komen om ons te veroveren?'

Rosaline zegt giftig:
'Laten we de spot voortzetten en
ons bij hen beklagen over die belachelijke Russen,
die ons bezochten in hun haveloze kleren
en met hun goedkope praatjes.'

De koning en de drie edelen komen met opgeheven hoofden
over het podium aanlopen.
Dan maakt de koning een kleine buiging voor de prinses en
zegt plechtig:
'We zijn gekomen om u uit te nodigen aan het hof.'

De prinses antwoordt koeltjes:
'Dit veld geeft voldoende beschutting en bovendien
beschermt het u tegen het breken van uw eed.'

'Maar u leeft zo eenzaam hier, zonder afleiding of bezoek',
probeert de koning haar over te halen.

'Integendeel, my lord, we hadden net nog bezoek van vier Russi-
sche heren', reageert de prinses.

'Ja, en welke van de vier was u?' bijt Rosaline Berowne toe.

Berowne deinst terug voor Rosaline en reageert geschrokken:
'Hoe bedoelt u?'

De koning buigt zijn hoofd en zegt:
'Ontken maar niet, Berowne,
wij zijn betrapt en ontmaskerd.'

'*Verbaast dat u? En waarom wordt u nu zo bleek?*' vraagt de prinses spottend aan de koning.

Rosaline grinnikt:
'*Hij zal wel zeeziek zijn, door zijn reis uit Moskou.*'

De koning valt op een knie en vraagt smekend:
'*Waarde prinses, zeg ons welk excuus waardig genoeg is voor onze schandelijke vertoning?*'

'*Het waardigst is om alles eerlijk te bekennen. Waren jullie hier, verkleed als Russen?*'
vraagt de prinses streng.

'*Ja, dat waren wij*',
knikt de koning en hij komt overeind.

'*Meende u echt wat u in het oor van uw geliefde dame fluisterde?*'
vraagt de prinses scherp.

'*Ja, ik gaf u mijn oprechte liefde, mijn prinses,
toen ik u herkende aan het juweel op uw mouw*',
antwoordt de koning.

De prinses lacht schamper en zegt:
'*Pardon, sire, maar het was Rosaline die dat juweel droeg,
en het was lord Berowne die mij zijn liefde verklaarde.
Wat doen we, Berowne? Wilt u mij of wilt u uw cadeau terug?*'

Berowne antwoordt beschaamd:
'*Wij hebben nu tweemaal onze waardigheid verloren:
eerst door onze eed te breken en nu door deze beschamende vergissing.*

In plaats van onze harten hebben we uiterlijke schijn gevolgd.'

Er klinkt gestommel en Pieter, uitgedost als de Franse bood-
schapper Marcade, komt het toneel opgestormd en brengt hijgend uit:
'Het spijt me zeer, madam, het nieuws dat ik breng
ligt zwaar op mijn hart... uw vader de koning...'

'Nee! Hij is gestorven!'
roept de prinses geschokt.

De koning zegt vol medeleven:
'Gaat het, prinses?'

De prinses richt zich tot haar raadsheer en beveelt:
'Boyet, maak alles klaar, we vertrekken vanavond.'

'Nee, madam, ik vraag u dringend, blijf,
in de naam van de liefde',
zegt de koning.

'Uw liefde? Die vonden wij niet meer waard
dan grappige plagerij, niet serieus te nemen.
Daarom zijn we uw liefde tegemoetgekomen
op dezelfde plaagzieke manier',
reageert de prinses scherp.

'Maar onze bedoelingen waren geen grap maar gemeend!'
roept Dumaine uit.

'Zo hebben wij ze anders niet opgevat',
snibt Rosaline.

Ze repeteren het hele drama tot het einde door. Om halfdrie is het stuk uitgespeeld. Sofie heeft een droge keel van het praten.
'Hebben jullie zin in een kop thee bij mij?' biedt Vrens aan. 'Jullie hebben zo hard je best gedaan.'
'Wij kunnen niet', antwoordt Jikke, terwijl ze wijst op zichzelf, Sofie en Dolf, 'wij hebben een feestje.'
'Koning Dolf, denkt u wel aan uw eed? Feesten is u immers verboden', zegt Vrens gekscherend.
Dolf knikt richting Sofie en Jikke en antwoordt: 'Wie kan de prinses en deze hofdame nu weerstaan?'
'Nou, veel plezier dan', zegt Vrens, 'komt de rest met mij mee voor een opwindende cup of tea?'
De anderen knikken lachend.
'Wij gaan vast. Tot morgen!' joelt Jikke terwijl ze Sofie en Dolf meetrekt.
'Gaan we direct door naar jouw huis?' vraagt Dolf aan Sofie.
'Ja. Maar ik wil me nog wel even omkleden', antwoordt ze.
Dolf doet de deur open en laat hen voorgaan naar buiten.
'Ik heb mijn nieuwe skinny bij me. Ik hoop dat je broer me dan eindelijk ziet staan… of zitten, mag ook', zegt Jikke. Haar wangen kleuren vurig.
'Vast wel', reageert Sofie vaag terwijl ze haar fiets pakt, maar ze denkt van niet. Felix heeft nooit vriendinnetjes, meisjes lijken niet voor hem te bestaan. Zelfs Ina maakt geen indruk op hem, terwijl die toch echt beeldschoon is. Zou hij misschien meer op jongens vallen? Op die Gus? Of misschien vindt hij Dolf wel leuk, die is tenminste knap. Ze kijkt even opzij. Ja, heel knap. Blonde haren, niet te kort, beetje gebruind door de zon is hij nog, blauwe ogen, kleur van de zomerzee. Oeps, hij kijkt haar recht aan opeens. Ja, zomerzeeblauw zijn ze.
Ze richt haar ogen snel op de weg voor zich.
'Vind jij mij eigenlijk mooi, Dolf?' hoort ze Jikke vragen.

'Jazeker. Je hebt geinig haar, vrolijke ogen en een lachmond.'
'Mmmm… dat klinkt allemaal veel te lollig en grappig. Alsof ik een clown ben', reageert Jikke nors.
'Welnee, gewoon een hartstikke leuke meid ben je', zegt Dolf.
'Gewoon, gewoon, ik wíl juist niet gewoon zijn', zucht Jikke.
'Jik, die skinny staat je abnormaal cool', zegt Sofie.
Jikke kijkt haar even kritisch aan en lacht dan tevreden.
Ze slaan linksaf, de oprijlaan in.
'Wow, wat een bende bezoek!' roept Jikke.
Ter hoogte van het boothuis staat het pad vol met geparkeerde scooters. Tegen de bomen staan fietsen, slordig neergezet. Vanaf de waterkant klinkt harde muziek en geschreeuw.
'Cool nummertje van The Offspring is dat: *The worst hangover ever*', zegt Jikke en neuriet de melodie mee. Het feest is begonnen.

'Zijn we er klaar voor?' vraagt Jikke.
Dolf en Sofie knikken. Ze merkt dat Dolf haar steeds aanstaart, al sinds ze beneden kwam in het jurkje. Zou het toch wat te kort en te strak zijn misschien? Ze trekt de zoom wat verder naar beneden terwijl ze over het pad lopen. Daarna rennen ze onder de bomen door naar het boothuis toe. Muziek galmt luid over het water. '*You know I'm no good*' zingt Amy Winehouse. Voor de deur van het boothuis staat een rij jongens te wachten.
'Het lijkt wel of je broer een popconcert geeft', grapt Jikke.
Ze sluiten aan in de rij en eindigen voor een tafeltje, waarachter Sofie Gus herkent.
'Da's dan 10 euri per persoon', zegt Gus met een grijns.
'Euhm, ik dacht het niet', antwoordt Sofie, 'ik ga echt niet betalen voor het feestje van mijn broer en mijn vrienden ook niet.'

'Oké, oké, loop dan maar door', zegt Gus haastig.

'Waarom moeten we eigenlijk betalen?' vraagt Jikke. 'Treedt er iemand op of zo?'

'Nee, dat is vanwege de marathon', antwoordt Gus.

'Marathon?' vraagt Dolf. Zijn wenkbrauwen schieten omhoog.

Wat heeft Felix nu weer bedacht, denkt Sofie. Angst sluipt haar maag binnen. Ze kijkt Gus scherp aan. Die laat zijn ogen haastig naar de stapel geldbiljetten glijden en mompelt: 'Je zult het wel merken, het is echt wel lachen.'

'Ik ben benieuwd', reageert Sofie stug. Het voelt niet goed. De ontwijkende blik van Gus niet, die stapel geld op het tafeltje niet. Het woord marathon niet. Hardlopers zijn doodlopers, zegt tante Eva altijd. Sofie loopt het houten boothuis binnen, gevolgd door Jikke en Dolf. Als haar ogen gewend zijn aan de rokerige duisternis, ontdekt ze midden in de ruimte een lange tafel die afgeladen vol staat met flessen drank en gestapelde glazen. De tafelpoten lijken te buigen onder het gewicht. Langs de drie met planken betimmerde muren van het boothuis staan witte stoelen; de plastic tuinstoelen van haar ouders die ze in de zomer gebruiken als ze tuinfeesten geven. Tegen de vierde muur staan wel vijftien volle bierkratten opgestapeld. In de menigte die bij elkaar dromt – veel jongens zijn er, heel weinig meisjes – ontdekt ze Felix. Ze zwaait naar hem maar hij merkt haar niet op. Hij praat en gebaart druk. Dan wuift hij over de hoofden heen naar Gus, loopt naar de lange tafel en gaat erachter staan. Gus sluit de deur van het boothuis, ziet ze, en zet het geluid van de stereo uit. Daarna voegt hij zich bij Felix achter de tafel.

Felix vouwt zijn handen als een toeter rond zijn mond en schreeuwt:

'Halloooh, iedereen ff dimmen!'

'Hey man, je lijkt die eikel van Engels wel!' roept Roy. Sofie herkent hem van school.

Iedereen lacht brullend. Langzaam verstomt het geroezemoes.

'Tof dat jullie er allemaal zijn. Ik zal de regels van het spel uitleggen, dan kunnen we zo beginnen', zegt Felix luid. Instemmende geluiden klinken. Sofie tuurt langs de gezichten, ze kent bijna niemand. Een jongen in het zwart komt haar vaag bekend voor. Dolf staat links van haar en fluistert in haar oor: 'Gaat het?'

Ze knikt. Jikke wiebelt naast haar, hoog op haar tenen en met een gerekte hals, om niets te hoeven missen.

'Op deze tafel staan allerlei soorten drank', wijst Felix, 'en we gaan zorgen dat al die flessen straks leeg zijn!'

De feestgangers beginnen te klappen en joelen.

'Maar dat doen we niet zomaar. Nee, we maken er een marathon van. Degene die het langst doordrinkt, is de winnaar. Die krijgt van alles wat hij gezopen heeft een fles mee naar huis, voor nop, en vijftig euro als beloning.'

Iedereen begint te juichen en springen. Sofie kijkt verbijsterd om zich heen. Wat is dit voor iets idioots?

'Oké, wie doet er mee?' roept Felix. Er gaan wel twintig vingers omhoog en zelfs Jikke steekt haar hand op.

'Doe normaal, Jik', snauwt Sofie in haar oor.

'Wat nou! Lijkt me kicken, zo'n marathon, heb ik nog nooit gedaan', zegt Jikke verongelijkt.

'Jikke, je wordt er alleen maar kotsmisselijk van. Jammer van je nieuwe broek als je straks moet overgeven', zegt Dolf droogjes.

Sofie kreunt zacht: 'Dit loopt vast gigantisch uit de hand. Felix heeft nog zo beloofd dat het een leuk feestje zou worden.'

De rook en herrie maken haar misselijk, haar maag lijkt te dansen in haar buikholte.

'Gaat het wel, Sofie? Je bent spierwit', zegt Dolf bezorgd.

'Nee, het gaat helemaal niet. Ik ga Felix zeggen dat hij hiermee moet ophouden', besluit Sofie. Ze wringt zich door de kluwen mensen, Jikke en Dolf volgen haar op de voet. Ze voelt Dolfs adem in haar koude nek, het voelt als een warme sjaal.

'Achttien, negentien... oké, we hebben negentien deelnemers. Ga allemaal op een rij voor de tafel staan, dan schenk ik zo in. We drinken zes etappes en iedere etappe heeft een winnaar. Wie de meeste etappes wint en het langst volhoudt, is de kampioen, duidelijk? En wie omvalt, ligt eruit. De toeschouwers kunnen nu inzetten op hun favoriet bij Roy. Die zit daarginds aan de tafel bij de ingang. Roy, zet voor mij maar 50 in op Gus! Jullie mogen zelf biertjes pakken uit de kratten die tegen de muur staan', wijst Felix. Er wordt geklapt en iemand zingt: 'Dikke lul, drie bier!'

Sofie is bij de tafel aangekomen, duwt Gus opzij en trekt Felix aan zijn mouw. Hij kijkt haar aan, zijn ogen versmallen even en dan vraagt hij: 'Wat is er, Sof?'

'Waar ben je in godsnaam mee bezig!?' hoort ze zichzelf roepen.

'Ssht, schreeuw niet zo. Deze spelletjes doen ze overal, Sof, niks bijzonders, echt niet', zegt hij haastig.

'Niet op de feestjes waar ik kom! Papa en mama zouden het echt walgelijk vinden!'

'Och, hou toch op. Die vinden helemaal niks, nooit. Relax nou maar, ga lekker zitten en geniet ervan, neem een biertje of een blowtje', probeert hij haar te sussen. Maar ze laat zich niet afschepen. Deze keer niet.

'Stop hiermee, Fix, het gaat mis', houdt ze aan.

Hij werpt haar een onderzoekende blik toe, graait in zijn broekzak en houdt dan de felgekleurde geluksarmband omhoog, voor haar ogen.

'Natuurlijk gaat het niet mis! Kijk dan, ik zou hem vandaag dragen, weet je nog. Doe jij hem bij me om? Maak je geen zorgen, Sof, alles gaat goed. Echt, je moet niet zo moeilijk doen', zegt hij grijnzend. Te braaf, te streng, te moeilijk, drenst het door haar hoofd, doe nou eens lekker los, shake it baby.

'Och, misschien heb je ook wel gelijk', zucht ze, 'maar schenk niet te veel drank, Fix, anders gaan ze misschien vechten, net zoals bij de Hangar.'

'Ik weet heus wel wat ik doe', reageert hij luchtig en houdt de armband voor haar omhoog. Ze neemt de gekleurde band aan en bindt hem om de pols van Felix. Hij knipoogt naar haar en buigt zich dan over de tafel, om de glazen te vullen. Sofie telt er negentien, op een lange rij. Jikke wurmt zich langs Sofie heen en vraagt aan Felix:

'Zal ik je helpen met inschenken?'

Hij kijkt even opzij, glimlacht en knikt dan.

'Allemaal een glas tequila, we doen niet zuinig, tot de rand toe vol.'

Sofie loopt naar Dolf toe en zegt: 'Felix zegt dat ik me geen zorgen hoef te maken. Ze doen dit wel vaker.'

Dolf knikt en antwoordt: 'Dat zal best. Weten je ouders eigenlijk van dit feest?'

Sofie knikt maar niet overtuigd. Volgens haar heeft Felix gelogen.

Felix – De marathon

Zondag 15.25

'Kom op, Gus, hou de vaart erin. Ik heb op jou gewed, man!' moedigt Felix zijn vriend aan.

Felix laat zijn blik langs de deelnemers glijden. De meeste glazen tequila zijn halfleeg, ziet hij, Gus moet nog een paar slokken.

'Kom op, Gus, zuipen!' roept Felix. Jikke juicht mee: 'Hup, Gus, hup, Gus!'

Het helpt. Gus verslikt zich in de laatste slok maar hij wint. Hoestend en boerend zet hij het lege glas met een klap op de tafel neer.

'Jezus, man, wat een spul', kreunt een roodharige jongen buiten adem.

'Tja, je kan atten of je kan het niet', reageert Felix, 'de volgende etappe, lui. Een glas Jägermeister, zo snel mogelijk leeg', kondigt hij aan.

Jikke zet ijverig schone limonadeglazen voor alle jongens neer en Felix schenkt in.

'Jij ook eentje?' vraagt hij aan Jikke. Ze knikt met glinsterende ogen.

'Neem ik er zelf ook een', zegt hij. Hij vult twee glazen en ze proosten. Dan zegt hij tegen de jongens aan de tafel: 'Klaar voor de start… go!'

Zonder een spier te vertrekken, klokt Gus zijn glas leeg en zet het terug op de tafel. Een blonde jongen is tweede. De anderen volgen langzamer, alsof ze wat vermoeid beginnen te raken. Mooi zo! Gus heeft al twee etappes binnen, hij gaat winnen, zeker weten.

'Na twee etappes is Gus de koploper. Daarom mag hij het drankje voor de derde etappe kiezen. Gus, wat zal het zijn?' vraagt Felix.

Er klinkt geroep door het boothuis 'een panja kill' en 'een cool mixje, man'. Gus staart naar zijn handen, die voor hem op de tafel liggen, kijkt Felix aan met vochtige ogen en zegt: 'Doe mij maar even een biertje.'

Het valt Felix een beetje tegen, slappe hap. Maar goed, Gus wil natuurlijk zijn krachten sparen, hij heeft nog drie etappes te gaan. Samen met Jikke zet Felix negentien geopende flesjes bier neer en geeft opnieuw het startsein. Terwijl de deelnemers het flesje zo snel mogelijk in hun keelgat legen, doet hijzelf ook mee, voor de gein. Ook Jikke doet haar best, ziet hij. Best een toffe meid, tenminste niet zo'n tutje. Gus verslikt zich halverwege het flesje, haalt de hals van zijn mond en buigt proestend voorover. Felix haast zich naar hem toe. Het witte schuim loopt langs zijn kaken en over zijn shirt, zijn hoofd loopt knalrood aan. Een paar jongens slaan hem op zijn schouders en langzaam kalmeren zijn schokkende schouders.

'Gaat-ie, Gus?' vraagt Felix.

Gus haalt een paar keer diep adem en knikt dan.

'Gaat. Maar deze etappe heb ik verloren. Met bier nog wel…'

'Ach joh, jij moet wat sterkers hebben, bier is gewoon te laf voor je', zegt Felix grijnzend.

Gus glimlacht flauwtjes.

'De winnaar van deze etappe is Bram. We gaan verder, lui, met etappe vier en daarna nemen we een korte rookpauze. Wodka-jus, mannen', commandeert Felix.

Felix vult lange glazen tot driekwart met wodka en Jikke maakt het af met jus. De blanke en oranje vloeistoffen dwarrelen secondelang verward om elkaar heen voordat ze zich mengen.

'Ik zal nog even opnoemen wat de winnaar straks mee gaat nemen naar huis! Een fles tequila, een fles Jägermeister, een kratje bier, een fles wodka, een braaf pak jus en wat na de peukenpauze nog gedronken wordt! Oké, iedereen klaar? Go!' roept Felix.

De negentien jongens zetten het glas aan hun mond. Na een slok laat de roodharige jongen het glas uit zijn hand glijden en peddelt met zijn armen om zich heen om zich staande te houden. Het is of hij balanceert op een gammel vlot.

'Nee, niet ondersteunen! Hij moet zelf blijven staan, anders ligt hij eruit! Stoppen met drinken iedereen', beveelt Felix.

De jongen vindt nergens houvast en zakt door zijn knieën. Zijn voorhoofd raakt met een doffe bons de tafel. Hij tuimelt achterover en blijft bewegingloos liggen. Een paar jongens knielen naast hem neer. Eentje slaat met een vlakke hand op zijn wang, een ander roept zijn naam: 'Ruben, wake up, man.' Uit een snee boven zijn koperkleurige wenkbrauwen druipt een straaltje bloed langs zijn linkerslaap.

Felix ziet hoe Sofie zich over de liggende jongen heen buigt. Daarna komt ze vastberaden op hem afgelopen. Ze kijkt hem doordringend aan en zegt: 'Fix, je moet nu echt stoppen.'

De andere deelnemers keren zich verontwaardigd naar haar toe.' Ben jij maf! We komen net lekker op dreef. Ruben is niet gewend aan drank, dan krijg je dat. Iedereen wist dat hij als eerste zou uitvallen', brult een blonde jongen.

'Ja, Max, zo is het! Ik heb gelukkig niet op die loser ingezet!' schreeuwt een jongen die toekijkt.

Felix haalt even zijn schouders op met een 'ik kan er niks aan doen'. Sofie staart hem strak en donker aan, precies de ogen van hun vader.

'We hebben het er zo wel over, Sof, ik moet eerst deze etappe afmaken', zegt hij en vervolgt: 'Helaas, we hebben een eerste uitvaller: Ruben. De rest mag nu doorgaan met het leegdrinken van het glas. Go!'

De jongens zetten de glazen weer aan hun lippen en klokken de drank naar binnen.

'Yes!' roept Max en hij smijt zijn lege glas, tussen de hoofden van Jikke en Felix door, met een luide knal tegen de muur. 'Die is op!' Het glas spat uit elkaar en de scherven ketsen op de grond. Verdomme, wat een oen, vloekt Felix in zichzelf, Max had hem wel kunnen raken.

'Max is de winnaar van deze etappe', roept Felix, 'maar als er met glazen wordt gegooid, moeten we diskwalificeren', waarschuwt hij. Max gromt als een knorrige hond, poot zijn elleboog op de tafel en laat zijn kin in zijn hand steunen.

'Ja, sorry hoor, geintje. Dat doen Russen ook altijd, weet je wel', bromt hij.

'Vijf minuutjes pauze om te paffen, daarna gaan we weer door!' roept Felix.

Hij draait zich om en loopt achter de tafel vandaan. Frisse lucht en ff een blowtje buiten. Dan voelt hij iemand zijn hand pakken. Hij kijkt om. Jikke.

'Zal ik met je meegaan?' vraagt ze. Hij merkt dat haar vingers zijn hand beginnen te strelen en haar tong glijdt even langs haar lippen. Sjesus, ze wil wat van hem. Hij moet er niet aan denken! Hij trekt zijn hand los en antwoordt kort: 'Nee, ik ga liever alleen. Ben zo terug.'

Als hij bij de deur aankomt, voelt hij een hand op zijn schouder. Toch niet die kleverige Jikke weer! Hij draait zich geërgerd om en kijkt in de beschuldigende ogen van Sofie. Achter haar staat een lange, blonde jongen. Felix meent zich te herinneren dat hij Dolf heet.

'Fix, je moet hiermee stoppen', zegt Sofie dringend.

'Kan niet, je hebt de jongens toch gehoord? Als ik nu stop, krijgen we pas echt gedonder,' reageert hij zo luchtig mogelijk, 'je moet je niet zo druk maken, Sof, niks aan de hand.'

'Denk je dat echt?' vraagt Dolf rustig. Felix neemt hem onderzoekend op. De blauwe ogen kijken onverstoorbaar terug.

'Ja! Ik heb dit al vaker meegemaakt. Hoe meer ze drinken, hoe rustiger ze worden', zegt Felix geruststellend, 'ik heb er ervaring mee.'

'Is dat zo? Dan zou je ook moeten weten dat zoiets als dit makkelijk uit de hand kan lopen,' antwoordt Dolf.

'Oh?' vraagt Felix.

'Heb je niet gehoord over de Hangar?' vraagt Dolf.

'Jawel. Hoezo?' vraagt Felix.

'Daar werden van die avonden met onbeperkt drinken georganiseerd, net zoals hier nu. Er was steeds knokken. En een maand geleden was een groep jongens zo stomdronken dat ze om zich heen begonnen te steken met messen. Drie jongens en twee meisjes raakten gewond en werden afgevoerd naar het ziekenhuis. De Hangar moest dicht en mag voorlopig niet open, hoorde ik', vertelt Dolf.

'Ja, ja, allemaal heel interessant maar op mijn feestje zijn alleen maar bekenden, vrienden. Die hebben geen messen en doen zoiets niet. Relax nou maar, jullie. Neem een biertje, ik ga ff naar buiten', kapt Felix het gesprek af. Wat een zeur die Dolf, past precies bij Sof. Felix draait zich om en loopt weg.

Het motregent. Felix wandelt tussen de bomen door naar de waterkant, de vaart strekt zich uit naar links en rechts. Grijs als een snelweg. Of een landingsbaan. Zijn hoofd duizelt even, het is of het water hem met wenkende golfjes dichterbij lokt, hem op wil slurpen. Het water heeft dorst. Zijn ouders zullen nu wel aan de champagne zitten. Zij zuipen daar en wij zuipen hier. Hij rukt zijn ogen los van het water en loopt naar een boom om te schuilen. Onder de volle kruin steekt hij een jointje op. Hij neemt een paar diepe halen en het is of zijn gedachten opstijgen, zwevend als een vlieger. Geen zorgen, komt goed.

'Fix?' klinkt opeens een stem. Hij schrikt zich de pleuris. Is het een watergeest? Vroeger geloofde hij dat het water bewogen werd door watergeesten, ze konden je naar beneden trekken en lieten je verdrinken. Ze konden golven maken en schepen laten vergaan.

'Fix, waar ben je?' klinkt de stem weer. Het is Sofie. Hij hoort haar voetstappen naderen, takjes kraken. Ze loopt naar de vaart, kijkt naar links en rechts – precies zoals hij deed – draait zich om en ontdekt hem. Ze staat even stil, als een versteende zeemeermin, haar jurkje strak als een vissenhuid om haar lichaam gespannen. Dan komt ze haastig op hem af.

'Fix, waarom doe je dit toch?' vraagt ze zacht.

'Wat bedoel je?'

'Dit feestje, al dat drinken. En je blowt…'

'Ja, nou en? De hele wereld blowt, alleen jij niet. En die brave Dolf.'

Ze zwijgt even en zegt dan: 'Stop het feest, Fix, het gaat verkeerd. Hoor ze eens schreeuwen. Iedereen heeft veel te veel op. Er gebeuren nog ongelukken zo. Je moet ermee ophouden.'

'Nee, kan niet', zegt hij kortaf, 'en stop nou eindelijk eens met dat gezeik. Laat me met rust.'

Ze haalt even diep adem en zegt dan: 'Goed, als jij het niet doet, doe ik het!'

Hij draait zijn hoofd met een ruk naar haar toe.

'Waag het niet, Sof', sist hij.

'Ik zal wel moeten. Anders gaat het echt verkeerd', houdt ze aan.

Hij doet een stap naar haar toe, wankelt even en tilt dreigend een vinger op.

'Als jij dit feestje verziekt, gaat het pas écht mis. Niet alleen voor mij, maar voor jou ook. Ik waarschuw je', dreigt hij. Laat ze haar kop houden, oprotten verdomme! Hij voelt zijn slapen trommelen.

'En dat vriendje van je neem ik dan ook te grazen', voegt hij toe. Hij neemt een diepe haal van zijn sigaret.

Sofies mond valt open en ze kijkt hem aan alsof ze niet kan geloven wat hij zegt. Ja, ze kijkt precies hetzelfde als toen hij haar vertelde dat sint niet bestond. Daarna moest ze heel hard huilen, weet hij nog.

'Ja, geloof me maar', zegt hij.

'Wat is er met je aan de hand, Fix?' klinkt haar stem trillend.

'Niks, helemaal niks, alles cool. Ik geef gewoon een feestje, da's alles, en jij loopt het voor me te verzieken, dat is er aan de hand', snauwt hij.

Ze lijkt even te twijfelen en zegt dan: 'Kalm nou maar, wind je niet zo op.'

'Ik heb gewoon geen zin om voor paal te staan bij mijn vrienden, snap je. Ik ga gigantisch af als ik nu iedereen naar huis stuur, dat begrijp jij toch ook wel?'

'Ja, dat snap ik heus wel. Oké, als jij zeker weet dat het geen bende wordt... maar zorg je dan wel dat iedereen op tijd weggaat?'

'Yep', zegt hij kortaf.

'Fix?'

'Ja?'

'Ik zeur omdat ik me zorgen maak. Ik wil je feestje niet verpesten, echt niet.'

'Doe dat dan ook niet', reageert hij. Ze zwijgen. Felix hoort gebrul en gelach en het gerinkel van flessen in de verte. En weer glas dat breekt, verdomme. Alsof-ie nog niet genoeg glas heeft opgeruimd.

'Die armband staat je tof. Jikke valt op je, heb je dat in de gaten?' vraagt Sofie. Ze doet haar best haar stem vrolijk te laten klinken, merkt hij.

'Ja,' grinnikt hij gemaakt, 'heb jij wat met die Dolf?'

Ze aarzelt even en zegt dan: 'Neuh… hij speelt in het toneelstuk. Hij is de koning en ik de prinses.'

Felix kan zijn lachen bijna niet inhouden. Sjesus, wat een aanstellerig soft gedoe.

'Ja, en ik ben de grote boze wolf', zegt hij spottend.

'Fix! We gaan weer beginnen!' galmt de stem van Roy tussen de bomen.

'Heb jij ook ingezet?' vraagt Felix aan Sofie.

'Nee, ik vind wedden stom.'

'Als je inzet op Gus, ga je verdienen', zegt Felix en hij knikt, ook om zichzelf nog eens groot gelijk te geven. Gus gaat winnen en dan is zijn schuld afgelost.

'Mannen, nog twee etappes te gaan. Wil iemand extra inzetten of veranderen van favoriet?' vraagt Felix, terwijl hij zijn ogen langs de toeschouwers laat glijden.

'Begin nou maar gewoon', brult een donkere jongen met stekelhaar, 'ze hebben dorst!'

'Bier en tieten', zingt een groepje hossende jongens, 'lalalalala!'

De achttien jongens staan aan de tafel, sommigen wat onvast, ziet Felix, maar Gus gelukkig niet. Die geeft hem zelfs een knipoog en grijnst. Jikke legt haar hand op Felix' arm en vraagt: 'Wat moet ik inschenken?'

Hij glimlacht goedgehumeurd naar haar en roept: 'Een limonadeglas whisky, tot de rand toe vol!'

Er klinkt geklap en gejoel. Hij geeft haar een volle fles aan en zet lege glazen voor de jongens neer. Jikke schenkt secuur in, haar tongpuntje steekt uit haar mond. Hijzelf doet het wat nonchalanter, hier en daar gutst een scheut over de rand op de tafel. Maakt niet uit, er is nog meer dan genoeg in de kelder van zijn vader. Als alle glazen gevuld zijn, gaat hij achter de tafel staan, haalt diep adem en roept: 'Iedereen klaar? Go!' Zijn stem slaat over, de spanning knijpt wurgend zijn keel dicht. Gus moet winnen. Felix grijpt naar de halfvolle fles whisky voor hem op tafel en zet de hals aan zijn mond. Een paar slokken, gulzig slikt hij ze in. Hij voelt ze als een brandende lont door zijn keel, slokdarm en maag gaan. Dan zet hij de fles weer neer en veegt langs zijn tintelende lippen.

'Waarom doe je eigenlijk zelf niet mee? Jij had makkelijk kunnen winnen', zegt Jikke terwijl ze hem verliefd aankijkt. Haar gretige ogen irriteren hem.

'Nee, ik ben de coach van Gus, hij is de beste drinker', antwoordt Felix kortaf terwijl hij Gus bestudeert. Gus klokt het glas vlot leeg. Maar een kleine jongen met stekelhaar is sneller en zet het glas als eerste leeg op de tafel terug. Het glas kiepert om en rolt op de grond, pats. Gus is tweede. Felix ziet dat Gus diep ademt, zijn vingers klampen om de tafelrand. Gus ziet bleek maar houdt zich staande. Sjesus, hij redt het maar net. Vijf anderen zetten hun glas neer en zakken door hun benen, alsof iemand hun voeten onder ze vandaan trekt. Drie jongens zetten het glas halfvol terug en geven het op. En vier jongens, telt Felix, rennen naar buiten met het glas in hun hand. Hij hoort gekokhals. Eentje redt het niet op tijd, struikelt en geeft over op de vloer, vlak voor het tafeltje waar Roy de weddenschappen bijhoudt.

'Gatver, klojo, hou je in!' vloekt Roy.

Een meisje helpt de dronken jongen overeind en zegt tegen Roy: 'Mijn vriend kan er niet zo goed tegen, ik help hem wel even naar buiten. Sorry, hoor…'

Felix richt zijn blik weer op de tafel. Nog zeven jongens over. Waren het maar kegels, had hij ze omver kunnen mikken, op eentje na, Gus. Die moet blijven staan, dat moet! Zijn handpalmen voelen klam als hij zeven nieuwe glazen voor de jongens neerzet. Het koele glas glijdt langs zijn huid. Het is tijd voor de finale, erop of eronder. Hij klapt in zijn handen en brult: 'Twee etappes voor Gus, Bram een, Max een, Guido een. De laatste beslissende etappe: panja kill!'

Sofie – Verzuipen

Zondag 17.00

'Panja kill? Wat is dat?' Sofie draait haar hoofd naar Dolf, die naast haar staat.

Hij schudt zijn hoofd en vraagt het aan een jongen voor hem. Die ziet er absoluut uit of hij het antwoord weet, vindt Sofie. Gevaarlijk, met een neusring, oorringen en een vette, pikzwarte kuif.

'Panja kill, man, da's kicken. Da's zuipen zo snel als je kan tot je dropt. Hopen dat ze mixdrankjes krijgen, da's helemaal lachen. Vallen ze zo om, gaan ze janken en kotsen en zo…' grinnikt hij.

'Ja, kicken', reageert Dolf droog en hij kijkt Sofie somber aan. 'Wat is daar nou kicken aan?' vormt ze met haar lippen.

Dolf schudt zijn hoofd en antwoordt: 'Geen idee. Hij zal wel niet snappen waarom wij Shakespeare gaaf vinden.' Sofie moet ondanks alles glimlachen.

'Het is gelukkig de laatste etappe. Nog even en dan is het voorbij', zegt ze.

'Kom, dan gaan we vooraan staan. Mocht er iets misgaan, dan kunnen we direct ingrijpen', zegt Dolf en ze knikt. Hij pakt haar hand en samen beginnen ze zich naar voren te dringen, tussen de toeschouwers door. Opeens voelt Sofie harde vingers rond haar middel grijpen. Een forse jongen trekt haar tegen zich aan en hijgt: 'Waar wou jij naar toe, lekkertje, blijf toch hier…' Een alcoholwalm komt uit zijn grijnzende mond en zijn lippen proberen de hare te raken. Snel trekt ze zich los. Dolf kijkt fronsend toe en vraagt: 'Gaat het?'

Sofie knikt. 'Dáárom drink ik dus weinig, ik wil graag goed kunnen zoenen', fluistert hij in haar oor. Ze voelt haar wangen warm worden. Hij knipoogt en ze lopen verder, hand in hand, naar de tafel toe. Daar draaft Jikke heen en weer als een overspannen serveerster, terwijl Felix haar orders geeft.

'Laagje Jägermeister, laagje brandy, laagje bessenlikeur en dan… een mooie laag bier, net slagroom op een taart, vind je niet?' hoort Sofie Felix opsommen. De zeven jongens wiebelen op hun benen, ziet ze, alleen Gus lijkt het niet moeilijk te hebben. Hij is de grootste en de dikste, een flink lichaam kan de meeste drank hebben, verklaart Dolf.

'En als je wat gegeten hebt van tevoren wil dat ook wel helpen', zegt een meisje naast Sofie, 'al is te veel ook niet slim, mijn vriend heeft er net alles uitgegooid, buiten.'

'O jee, gaat het met hem?' vraagt Sofie.

'Gaat. Hij zit met een kop als een lijk tegen een boom. Ik laat hem even bijkomen en dan gaan we naar huis', antwoordt ze glimlachend.

'Wel vervelend, of niet?' vraagt Sofie want het is of het meisje het helemaal niet erg vindt, zo'n stomdronken vriend.

'Neuh, waarom? Hoort er nou eenmaal bij. Iedereen drinkt, zeker op dit soort feestjes. Nachtje slapen en dan is het weer over, morgen is hij weer hartstikke fit', zegt het meisje nonchalant, 'let op, ze gaan beginnen.'

Sofie keert haar blik naar de tafel. De jongens zetten de glazen aan hun lippen en beginnen te drinken. Ze ziet hun adamsappel bewegen bij iedere slok en krijgt zelf ook de neiging om te slikken. Bram heeft zijn glas als eerste leeg, roept Felix. Ze worden weer bijgevuld. Drie jongens staan te deinen, eentje grijpt zich met een hand beet aan de tafel. Gus steunt met zijn handen op tafel. De toeschouwers schreeuwen bemoedigende kreten.

'Hou vol, Charlie! Ik heb op jou gewed, verpest het nou niet, man!' schreeuwt het meisje naast haar. Sofie kijkt Dolf even aan en hij knikt begrijpend. Ja, dit is belachelijk. De jongens tillen het tweede glas op. Twee van hen lijken het gewicht niet te kunnen dragen en laten de glazen op de tafel tuimelen, bijna precies gelijk, alsof het afgesproken werk is. Een jongen glijdt langzaam onderuit en een tweede wankelt weg van de tafel, alsof hij de aanblik ervan niet meer kan verdragen. Twee meter verderop, midden tussen de toeschouwers, zakt hij op de grond en begint te snikken: 'Shit, ik had niet op willen geven... oooh, ik ben ook zo'n slappe klootzak, ooooh, sorry.' Drie vrienden knielen bij hem neer en sjorren hem overeind. 'Kom op, Max, stel je niet aan', hoort Sofie er een zeggen. Ze slepen hun huilende vriend tussen hen in mee naar buiten en kijken schichtig om zich heen.

'Die schamen zich dood, natuurlijk, met zo'n jankerd', spot het meisje naast Sofie.

'Nog vijf deelnemers in de race, glas nummer drie wordt inge schonken', deelt Felix luid mee.

Gus is krijtwit, ziet Sofie, terwijl zijn oogwit juist rood is. Het ziet er griezelig uit, alsof zijn bloed ieder moment door de oogbollen naar buiten geperst kan worden.

'Zie je de ogen van Gus?' wijst ze bezorgd.

Dolf knikt en antwoordt: 'Ja, dat komt door de alcohol. Als Gus wist hoe lelijk hij nu was, zou hij vast acuut stoppen.'

De jongens beginnen weer te drinken. Halverwege het legen van het glas valt een jongen plat achterover. Hij smakt met zijn achterhoofd op de grond en het glas slaat in zijn gezicht. Scherven snijden in zijn huid. Het bloed mengt zich met de drank en de jongen grijpt krijsend naar zijn wangen.

'Aaaaah,' gilt hij, 'mijn smoel staat in de fik. Help me!'

'Gooi effe wat water op Guido, dan kalmeert-ie wel', roept Felix.

Jikke pakt een fles bronwater, loopt naar de kermende jongen en laat de straal over zijn gezicht lopen. Het schreeuwen verstomt en de jongen verroert zich niet meer.

'Volgens mij is hij buiten westen', zegt Jikke. Felix komt achter de tafel vandaan en loopt naar de jongen toe. Een omstander roept: 'Breng hem naar buiten. Kan-ie zijn roes uitslapen en kunnen wij hier verder.'

'Goed idee', zegt Felix instemmend en loopt terug naar de tafel. De jongen wordt tussen twee jongens in naar buiten gezeuld. Zijn voeten slepen achter hem aan en zijn bloedende gezicht hangt op zijn borst. Sofie keert zich met een bonzend hoofd naar de laatste vier jongens aan de tafel. Ze kan het amper nog aanzien. Het lijkt wel een arena uit de Romeinse tijd, denkt ze opeens, het is een spel waarbij mensen worden ingezet. Het heeft zoiets... barbaars. Ze voelt haar maag samentrekken als Jikke met een brede glimlach om haar knalrode lippen voor de derde keer de mixdranken inschenkt. Na een slokje haakt een jongen kokhalzend af. Een tweede zet het halfvolle glas neer en valt over de tafel heen naar voren, die even kantelt onder zijn gewicht. Gus, die met een hand op de tafel steunt, raakt zijn houvast kwijt en balanceert op zijn voeten. 'Hou je staande, Gus!' schreeuwt Felix. Hij wenkt naar de toeschouwers 'help uns effe' en schuift de dronken jongen van de tafel af, in de armen van twee jongens.

'Kan niet meer...' hoort Sofie Gus steunen.

'Je móet, Gus, volhouden', zegt Felix terwijl hij zich naar Gus buigt.

Ze ziet hoe hij Gus bij zijn arm pakt, snel, en hem weer in balans trekt. Gus staat weer stevig, naast zijn enige overgebleven mededinger, een gezette jongen met lange haren die als zwarte veters om zijn glimmende gezicht slieren.

'Het gaat nu tussen Gus en Bram. Laatste etappe, glas nummer vier', kondigt Felix aan.

Jikke schenkt de glazen weer vol, laagje voor laagje, en Felix plant ze voor de twee jongens neer. Die reageren amper.

'Wie dit glas als eerste leegheeft, is de winnaar', zegt Felix nadrukkelijk.

Gus knikt langzaam, Bram steekt onvast een duim omhoog.

Beide jongens leggen hun vingers rond de glazen, tillen ze op en beginnen te drinken.

Langzaam, slokje voor slokje, ziet Sofie de vloeistof uit de glazen verdwijnen. Bram gaat iets sneller.

'Gus, zuipen man, sneller', spoort Felix verhit aan.

'Brammie, Brammie!' klinkt het uit het publiek.

'Ik... ik kan niet meer', steunt Gus en hij laat het glas zakken.

'Je moet, man, doorzetten!' schreeuwt Felix.

Gus tilt het glas moeizaam op, Sofie ziet zijn hand trillen.

Ze kan het niet langer verdragen en buigt zich over de tafel naar Felix toe.

'Fix, laat Gus met rust. Je ziet toch dat hij het niet volhoudt', zegt ze zacht.

De ogen van haar broer boren zich in de hare – hard – en hij zegt dreigend: 'Bemoei je er niet mee, back off.'

'Hoe kun je dit nou doen? Gus wordt hartstikke ziek zo. Laat hem stoppen', houdt ze aan.

'Hou je kop! Je weet niet wat je zegt! Als Gus verliest, is alles verloren!' roept hij kwaad, zijn wangen gloeiend.

'Wat bedoel je?' vraagt ze.

Felix negeert haar en duikt naar Gus toe. Het glas dreigt uit zijn schokkende hand te vallen. Felix legt snel zijn vingers om die van Gus en brengt het glas weer naar diens lippen.

'Hey, da's valsspelen, dat mag niet!' brult de jongen met de zwarte kuif.

Felix haalt zijn vingers van het glas en knikt: 'oké, oké.'

Gus neemt moeizaam een slok, hij lijkt zijn eigen lippen amper nog te kunnen vinden in zijn gezicht. Bram hangt op tafel, zijn handen aan weerszijden van het glas, en tuurt naar de drank alsof hij er middenin moet duiken maar niet weet hoe. Hij slingert zacht heen en weer.

'Kom op, Bram, pak dat glas!' klinkt het.

Bram richt zijn hoofd traag op, zakt tegelijkertijd door zijn armen en valt plat met zijn gezicht op de tafel. Een straaltje bloed loopt langzaam over het tafelblad en druppelt langs de rand op de vloer. Sofie grijpt Dolfs hand en roept: 'Hij bloedt!'

Dolf gaat achter Bram staan, hijst hem onder zijn armen op en trekt hem overeind van de tafel. Bram zwaait op zijn benen, zijn hoofd waggelt op zijn nek, bloed stroomt uit zijn neusgaten.

'Het valt mee, een bloedneus. Ik breng hem naar buiten', zegt Dolf tegen Sofie. Hij ondersteunt de strompelende Bram naar de deur.

'Gus is de winnaar!' hoort Sofie haar broer luidkeels schreeuwen.

'Niet! Zijn glas moet eerst helemaal leeg. Dat heb je zelf gezegd!' roept de jongen met de kuif. Hij dringt zich naar voren, gaat naast Gus staan en zegt dwingend:

'Toe dan... nog twee slokjes en je bent de winnaar.'

Het rumoer in het boothuis neemt langzaam af, iedereen lijkt te voelen dat iets te gebeuren staat. Sofie voelt een holle pijn in haar maag opkomen. Het gaat mis, ze weet het zeker. Ze draait haar hoofd om naar de deur maar Dolf is er niet. Hij is nog steeds buiten met Bram.

'Fok hem niet zo op, Pim, geef Gus de tijd', snauwt Felix.

'Da's lekker makkelijk winnen zo', sneert Pim.

'Oh ja, waarom heb jij dan niet meegedaan, als het zo makkelijk is?' vraagt Felix.

Pim snuift hard en zegt treiterend: 'En jij dan, grote jongen? Jij laat Gus voor je drinken en strijkt zelf de centen op. Ik heb je wel door, lafbek.'

'Je moet je kop houden, zak! Gratis zuipen en dan nog zeiken ook. Rot op, wegwezen!' gilt Felix. Hij strekt zich over de tafel heen en duwt Pim tegen zijn borst. Die struikelt achterover, herstelt zich, komt razendsnel om de tafel heen en grijpt Felix bij zijn kraag.

'Stop, hou op!' hoort Sofie zichzelf gillen.

Felix rukt zich los, duwt iedereen die in de weg staat opzij en sprint naar de deur. Hij staat even stil bij de tafel en steekt gebiedend zijn hand uit naar Roy, die er gehoorzaam de dikke bundel geldbiljetten in legt. Felix propt ze in de achterzak van zijn broek en springt naar buiten.

'Kom hier met ons geld, vuilak!' schreeuwt Pim, terwijl hij achter Felix aanrent. De rest van de feestvierders volgt Pim naar buiten, tierend en joelend, alsof ze een beest opjagen. Haar broer. Sofie voelt haar hart bonken. Oh nee, het loopt totaal uit de hand, precies wat ze al voorzien had. Ze moet Dolf waarschuwen.

'Holy shit, Gus legt het loodje!' hoort ze iemand roepen. Ze kijkt opzij en ziet Gus op de grond glijden. Hij valt op zijn rug, zijn ledematen gestrekt. Een meisje bukt zich over hem heen en schudt aan zijn schouder.

'Hij beweegt niet, hij lijkt wel dood!' gilt ze dan.

Sofie snelt naar Gus toe en laat zich naast hem op haar knieën zakken. Ze legt twee vingers in de hals van Gus. Zijn huid voelt klam en koud aan. Ze voelt een trage hartslag. Opgelucht haalt ze haar vingers weg. Dan knijpt ze in zijn wang. Geen reactie. Hij reageert niet op pijnprikkels, dat is niet goed, weet ze.

'Hij is bewusteloos. We kunnen hem het beste naar buiten brengen, denk ik. In de frisse lucht komt hij wel bij', zegt ze tegen het kleine kringetje dat om hen heen staat.

'Doen we', zegt een stevige jongen en hij stoot zijn vriend aan die naast hem staat. De twee jongens grijpen ieder de armen en benen en Sofie ondersteunt het hoofd van Gus. Voorzichtig dragen ze hem naar buiten. Ze leggen Gus zacht in het gras en Sofie komt overeind. Dan klinkt een luid geschreeuw vanaf de waterkant.

'Mep hem, de zak, zijn verdiende loon!' hoort ze een meisje krijsen.

'Nee, laten we dit uitpraten', hoort ze de rustige stem van Dolf.

'Hou je kop, watje, hij moet een pak slaag hebben', brult Pim. Een harde plons. Geklap en geschreeuw. Gegil van Jikke.

'Oooh, hij verdrinkt! Help dan toch, Fix verdrinkt!'

Sofie vliegt naar de steiger en ziet, een meter van de kant, hoe het water kolkt rond de wildmaaiende handen van Felix. Om zijn pols bungelt de felgekleurde armband. Dan verdwijnen zijn vingers onder water en jankt het in haar borst: neeee! Ze heeft het blijkbaar hardop geroepen want Dolf grijpt haar pols beet. Ze staat op het punt in het water te springen, beseft ze. Dolf knijpt in haar hand, kijkt dwingend in haar ogen en zegt streng: 'Blijf staan, ik ga.'

Hij weifelt geen seconde, bukt en laat zich haastig van de steiger het water inglijden. Golven slaan tegen de wal. Dolf duikt onder en kringen verspreiden zich onrustig over het donkere water. Het duurt lang. Dan komt Dolf zwaar hijgend weer boven en zegt proestend: 'Ik kan niks zien onder water, het is er pikdonker.'

Sofie voelt haar hart in haar hals hameren en haar maag knijpt samen. Snikken persen zich door haar keel.

'Nog een keer, duik nog een keer, hij moet daar ergens zijn!' gilt ze. Achter zich voelt ze de aanwezigheid van mensen, een stille ademende muur.

Jikke knielt naast haar neer, rillend en huilend.

'Oooh, shit, het spijt me zo-ho, Sofie, ik drink echt no-hooit meer', zegt ze slepend. Dronken, stomdronken is ze, stelletje idioten allemaal, denkt Sofie en richt haar ogen wanhopig op het dansende, donkere water. Oh, Fix, leef, leef!

Dolf haalt diep adem en duikt een tweede keer. De seconden kruipen voorbij.

'Ik heb hem. Ik zag die armband, kreeg hem te pakken!' roept Dolf hoestend als hij bovenkomt. Hij trekt Felix achter zich aan als een lappenpop, Felix' donkere haren drijven op het water, zijn gezicht is spierwit. Sofie rent naar de waterkant. Dolf klimt hijgend op de steiger en samen sjorren ze Felix aan zijn mouwen moeizaam uit het water.

'Pas op, zijn pols bloedt… een spijker in de steiger', waarschuwt Daan. Voorzichtig hijsen ze Felix op de planken terwijl het water uit zijn broekspijpen stroomt. Dolf legt Felix op zijn rug en buigt zich over hem heen. Sofie laat zich naast Felix op de grond zakken. Stil staan de omstanders te kijken, alleen Jikke snikt luidruchtig.

'Hij beweegt niet', fluistert Sofie ontzet.

'Ik ga mond-op-mondbeademing proberen, bel jij 112', zegt hij.

'Oh god, laat hem ademen', smeekt ze schor terwijl ze haastig opstaat en haar mobiel uit haar broekzak trekt. Met ijskoude, trillende vingers tikt ze het nummer in. Haar stem heeft geen kracht meer, haar benen wiegen alsof ze op het dek van een schip staat.

'112, wat is er aan de hand?' vraagt een kalme vrouwenstem.

'Mijn broer… hij is in het water gevallen', zegt ze hortend.

'Is hij bij bewustzijn?'

'Nee,' snikt ze, 'kom alstublieft snel!'

Jikke komt wankelend overeind en strompelt naar de waterkant.

'Jikke, kijk uit, blijf hier', schreeuwt ze en ze haast zich naar Jikke toe.

'Wat is het adres?' vraagt de vrouw rustig.

'Zwartloo, Laan van Pallandt 2, bij het botenhuis', antwoordt ze schor terwijl ze Jikke bij een hand grijpt.

'Er komt een ambulance aan', zegt de vrouw, 'hulp is onderweg, probeer kalm te blijven. Is er iemand die hem kan beademen?'

'Ja, een vriend, die is er nu mee bezig.'

'Hij moet door blijven gaan tot de ambulance er is. En als je broer zelf weer kan ademen, moet zijn vriend direct met beademen stoppen', adviseert de vrouw bondig.

'Goed,' antwoordt ze hees, 'ik zal het zeggen.'

'De ambulance is onderweg, ik hang nu op', zegt de vrouw. Dan is de lijn stil.

Pim komt schoorvoetend naast Sofie staan en mompelt: 'Sorry, zo had ik het niet bedoeld.'

'Ik hoop voor jou dat het goed komt. Ga jij maar bij Gus kijken, die was buiten westen', zegt ze kortaf. Pim loopt weg, zijn voeten zet hij zorgvuldig neer, alsof hij bang is om het gras te beschadigen. Ook al dronken, denkt Sofie.

'Jikke, jij blijft hier zitten en je verroert je niet', instrueert Sofie haar vriendin. Die knikt gedwee, laat zich op de grond ploffen en trekt haar benen onhandig op in een kleermakerszit.

Sofie rent terug naar Felix en kijkt angstig naar haar broers borst. Dolf blaast zijn adem in de mondholte van Felix, de borstwand zwelt en zakt dan weer in. Dolf wacht even, houdt zijn blik scherp gericht op Felix' borst en blaast opnieuw. Oh, adem toch, adem!

Hij mag niet doodgaan, niet hier en niet zo, door zoiets stoms, smeekt Sofie stemloos. Het is of haar adem zich alleen nog wil laten gebruiken voor haar longen, om adem te halen, voor hem. Adem toch! Sofie hoort vaag gcroezemoes om zich heen, al haar zintuigen zijn gericht op Felix. Beweegt zijn borst, ademt hij weer? Ze schrikt op van een rauwe hoest die uit zijn mond klinkt, water gutst tussen zijn lippen vandaan. Ze knielt bij hem neer. Hij rolt zich op zijn zij, rochelend en kokhalzend, slijm en water vermengen zich tot een melkachtige brij op het gras naast hem. Hij haalt zwaar adem en kijkt haar aan, zijn ogen bloeddoorlopen en waterig. Dan spert hij zijn ogen wijd open en vraagt, hijgend en hoestend: 'Het, uche, geld… waar, uche, is het geld?'

'Rustig, Fix', zegt Sofie sussend.

'Het geld…' zegt hij dwingend en hij komt half overeind op zijn arm.

'Dat zit in je zak, man, je ging ermee vandoor', zegt Pim, die achter Sofie staat. Pim buigt zich naar Sofie toe en verklaart: 'Gus is nog steeds van de wereld.'

'Dat is niet best, dat duurt te lang. De ambulance komt zo, dan kunnen ze ook naar Gus kijken', zegt Dolf terwijl hij opstaat.

'Fix, wat ben ik blij dat je weer ademt', fluistert Sofie zacht bij haar broers oor. Felix schudt zijn hoofd ongeduldig, komt steunend verder overeind op zijn armen en vraagt: 'Gus? Heeft Gus gewonnen?'

'Dat wel. Maar nu ligt hij voor dood, geen beweging in te krijgen', zegt Pim.

'Slappe zak…' kreunt Felix.

'Hij heeft jou anders wel rijk gemaakt, man. Ik zou hem maar snel wat geld geven. En de anderen die op Gus gewed hebben ook, anders is het niet eerlijk, man', zegt Pim.

'Sorry dat ik flipte… Roy heeft de lijst met inschrijvingen, hij weet hoeveel iedereen moet krijgen. Het geld is nu natuurlijk nat, stom. Ik betaal morgen wel uit, oké', zegt Felix schor en hij laat zich weer op zijn rug vallen.

'Ja, ja, man, in orde', mompelt Pim.

'Zal ik iedereen maar zeggen dat het feestje voorbij is?' stelt Dolf voor. Hij wacht niet op antwoord en loopt weg.

Felix knikt traag en vraagt: 'Hoe laat is het, Sof?'

Ze kijkt op haar horloge en antwoordt: 'Bijna zes uur, mooie tijd om te stoppen.'

Felix fronst zijn wenkbrauwen en komt moeizaam overeind zitten.

'Blijf nog even liggen, dat is beter', zegt Sofie.

Felix schraapt zijn keel, schudt zijn hoofd en komt wankel omhoog op zijn benen. Sofie staat op en ondersteunt zijn arm. Hij schudt haar hand af.

'Ik red me wel, hoor', zegt hij kortaf, 'ik ga naar huis voor een warme douche.'

'Nee, wacht nou even, de ambulance komt zo, dan kunnen ze naar je pols kijken. Je bloedt', wijst Sofie.

Felix kijkt naar zijn linkerpols, haalt even zijn schouders op maar volgt haar toch. Ze loopt langzaam zodat hij haar bij kan houden. Jikke is opgestaan uit het gras en strompelt met hen mee. Het grote lichaam van Gus ligt uitgespreid op het gras. Hij ademt rochelend en zijn huid is spierwit. Felix kijkt op hem neer en Sofie bestudeert de uitdrukking op het gezicht van haar broer. Doet het hem eigenlijk wat, dat zijn vriend er zo slecht aan toe is? Dan kijkt Felix op, over haar hoofd heen.

Opeens knijpt hij zijn dooraderde ogen samen. Ze draait haar hoofd om en ziet een grote, kale man naderen. Hij komt haar bekend voor. Waar heeft ze die vent eerder gezien? Net als ze het Felix wil vragen, komt de ambulance aanrijden. De zwaailichten knipperen helblauw tussen de bomen. De auto stopt en twee mannen stappen uit, openen de achterdeuren en trekken een brancard tevoorschijn. Gehaast komen ze aanlopen. De kale man stapt opzij om de brancard te laten passeren.

De mannen stoppen bij Gus en vragen: 'Dit is de patiënt?'

'Ja, eentje van de twee', antwoordt Dolf. De mannen kijken hem verwonderd aan.

'Ik belde 112 eigenlijk voor mijn broer, die was in het water gevallen. Hij was bewusteloos toen we hem eruit haalden. Hij is nu gelukkig weer op de been maar zijn vriend nog niet', legt Sofie snel uit.

De mannen knielen bij Gus neer. De ene man voelt zijn pols 'hartslag veel te traag, 54' en de andere man bestudeert Gus' gezicht en legt zijn vingers rond de hand van Gus 'bleek en klam, ijskoud'. Ze knikken elkaar even toe en de langste man zegt: 'Waarschijnlijk alcoholvergiftiging, we nemen hem mee.' Ze tillen Gus op de brancard. Sofie ziet dat de kale man naar het boothuis loopt, met zijn rug tegen de wand leunt en zijn armen voor zijn borst vouwt. Hij kijkt toe.

'Wat is er precies gebeurd met deze jongen?' vraagt de langste man aan Dolf.

'Hij heeft te veel gedronken en is buiten westen geraakt', legt Dolf uit.

'Comadrinken?' vraagt de man fronsend.

'Nou, euh, nee… het was een spel, een wedstrijdje', zegt Felix.

'Ben jij de broer die in het water is gevallen?' vraagt de korte man terwijl hij hem opneemt.

Felix knikt.

'Laat me je pols eens zien', vraagt de man.

Felix houdt zijn arm omhoog, hij wankelt even.

De kleine man knikt: 'Moet gehecht worden. Ga maar met ons mee en hou je arm hoog.'

'Kan ik me eerst even thuis omkleden? We wonen hier', wijst Felix rillend naar het huis.

'Nee, jij kunt amper lopen. Ik ga wel even kleren voor je halen, dan kun je je in het boothuis omkleden', biedt Dolf aan. De kleine man knikt instemmend.

Sofie zegt: 'De garagedeur is open. In de mand naast de droger liggen schone joggingspullen van hem.'

Dolf knikt 'ben zo terug' en rent weg.

'Spelen met alcohol is gevaarlijk, jongens, weten jullie dat niet?' zegt de lange man ernstig.

'Naaah, dat zal toch wel meevallen', lacht Pim.

'Nee, dat valt dus helemaal niet mee. Kijk maar eens hoe jullie vriend er nu aan toe is, hij is totaal weg, weet van niks meer, allemaal door de drank', zegt de lange man ernstig, terwijl hij Gus toedekt met een zilverkleurige deken.

'Pfff, dingen onthouden kan ik sowieso al niet, dat komt echt niet alleen door de drank, hoor', grinnikt Pim nerveus.

'Zo lollig is het beslist niet. Ik hoop dat het met deze knaap gaat meevallen', zegt de lange man. Dolf komt aangehold met een schone joggingbroek en sweater en geeft ze aan Felix.

'Je kunt in het ziekenhuis wel douchen en je omkleden, jongen, we moeten nu gaan', zegt de kleine man die de brancard bij de voeten optilt. Felix, Sofie en Dolf volgen de brancard naar de ambulance.

'Kan mijn broer zo weer naar huis?' vraagt Sofie aan de kleine man.

'Jazeker, als hij alleen maar gehecht hoeft te worden, is hij waarschijnlijk met een uurtje terug', antwoordt die.

'Fix, neem je dan een taxi? Dan zien we je straks thuis', zegt Sofie tegen haar broer. Felix knikt terwijl hij achterom kijkt. Sofie volgt zijn blik en ziet hoe de grote, kale man driftig wenkt. Felix wendt snel zijn hoofd af en loopt onvast – schuifelend als een oude man – naar de open achterdeuren van de ambulance. De mannen schuiven Gus naar binnen en de kleine man geeft Felix een grote plastic zak voordat hij instapt. 'Ga hier maar op zitten, dan houden we het tenminste een beetje droog.' Dan helpt hij Felix naar binnen.

De achterdeuren slaan dicht en de ambulance verdwijnt met knipperende lampen door het bos en over de oprijlaan.

Als ze teruglopen naar het boothuis, ziet Sofie de kale man bij Jikke, Pim en Roy staan. De anderen zijn allemaal vertrokken, merkt Sofie opgelucht.

Jikke zit jammerend op de grond, ze lijkt te huilen, ziet Sofie als ze het groepje naderen.

'Ik weet het niet, echt niet…' zegt Jikke snikkend.

'Maar jij bent toch zijn zus', vraagt de kale man dreigend.

'Nee, ik ben gewoon maar een vriendin', snuft Jikke, 'dát is zijn zus, Sofie', wijst Jikke. De kale schedel draait haar kant op.

'Oh…' de man laat zijn blik over Sofies lichaam glijden, beginnend bij haar borsten en eindigend bij haar voeten. Ze voelt zijn ogen bijna als vingers langs haar lijf glijden, over het strakke, zwarte jurkje.

'Ja, natuurlijk, jij bent het, nu zie ik het', grijnst de man.

Sofie vouwt haar armen over elkaar voor haar borst en gaat wat dichter bij Dolf staan. Ze kijkt de man recht aan en vraagt: 'Kennen wij elkaar?'

'Nee, nog niet, maar dat gaat nu gebeuren. Je broer zou ons betalen maar dat heeft hij niet gedaan. Dat is een groot probleem, een heel groot probleem', benadrukt de man. De grimas rond de dikke, rozige lippen bezorgt haar rillingen in haar nek. Opeens weet ze ook weer waar ze hem eerder heeft gezien. Met Gus en Felix in de stad!

'Hij moet ons anders ook nog betalen', zegt Roy, 'wij zijn eerst aan de beurt.'

De man geeft Roy een zet tegen zijn borst zodat hij bijna achterovervalt en zegt:

'Ik dacht het niet, sukkel. Kinderen die vragen worden overgeslagen. Eerst betaalt hij mij.'

'Maar waarom?' vraagt Sofie. Ze dwingt zich rustig te blijven ademen.

'Hij heeft een paar weddenschappen verloren en nu kom ik innen', zegt de man.

'Wat voor een weddenschappen?' informeert Sofie met een trillende stem.

'Dat moet je hem zelf maar eens vragen, schatje', antwoordt de man.

'Hoeveel moet hij betalen?' vraagt Sofie.

'Een heleboel centjes. Ik zou ze komen ophalen, zes uur precies', zegt de man en tikt op zijn grote horloge. De stalen band doet denken aan een handboei, vindt Sofie.

'Fix moest met zijn vriend mee. Dat was een noodgeval, dat heb je zelf gezien. Ze zijn naar het ziekenhuis', legt Sofie uit maar haar woorden lijken hem totaal niet te interesseren. Hij schudt zijn hoofd, klakt met zijn tong en zegt: 'Smoesjes, allemaal smoesjes. Je broer zag me en is hem gesmeerd. Hij wil niet betalen. Maar', zegt hij zacht, 'als ik het geld niet krijg, heb ik jou.' Zijn hand schiet uit en klemt zich rond haar pols. Haar hart klopt in haar keel, te snel, veel te snel roffelt het daar.

Ze probeert haar hand terug te trekken maar zijn vingers drukken hard in haar vlees.

'Laat los!' roept ze. Pim springt naar voren, gaat vlak voor de kale man staan en schreeuwt, deinend op zijn benen: 'Waar ben je mee bezig, man?!' De man kijkt hem een seconde aan en stoot dan zijn voorhoofd naar voren, tegen de neus van Pim aan, die kermend op de grond stort. Roy knielt bij hem neer. Wat een vreselijke man, denkt Sofie paniekerig, wat kan ze doen?! De haarspray… haar handtas. Maar die ligt nog op de steiger, ziet ze, waar ze Felix uit het water gehaald hebben. Ze trekt aan haar hand. De man knijpt zijn vingers nog strakker om haar pols en zegt bijna vriendelijk: 'Niet tegenstribbelen, schatje, dan moet ik je pijn doen.' Dan vraagt hij vrolijk: 'Had er nóg iemand vragen?'

'Ja, ik', hoort Sofie Dolf naast zich. Hij neemt de vingers van haar vrije hand tussen de zijne en knijpt erin.

'O ja?'

'Je hebt toch het liefst geld, neem ik aan?' vraagt Dolf.

De man kijkt even keurend naar Sofie en zegt dan: 'Ja, ik kom voor het geld.'

'Als wij nou eens zorgen dat we het over twee uur bij elkaar hebben. Sofie en ik gaan naar Felix en regelen het met hem', stelt Dolf kalm voor. Ze voelt zijn hand trillen rond de hare. Het is even stil. Alleen Pim, die met zijn rug naar hen toe op de grond ligt, mompelt zacht.

'Denk je nou écht dat ik daar intrap?' snauwt de man dan.

'Hoezo intrappen? We kunnen het zo voor je regelen', houdt Dolf vol.

'Ik heb een veel beter idee. Ik neem dit sexy schatje mee en je krijgt haar terug als ik het geld heb. Zo regelen we dat. Dan weet ik tenminste zeker dat jullie me niet belazeren. En Sofietje,' hij brengt zijn ogen dicht bij de hare, ze ruikt zijn stinkende adem, 'je lieve broertje weet hiervan, hoor. Hij wist dat als hij niet zou betalen, dat jij dan de klos zou zijn. Lekker broertje heb jij, meid.'

'Niet! Ik geloof je niet, je liegt!' roept ze uit. 'Hij moest met zijn vriend naar het ziekenhuis! Daarom kon hij je niet betalen. Anders had hij het gedaan!'

'Ja, hij heeft het geld bij zich, hartstikke veel', bemoeit Roy zich ermee. Pim staat waggelend naast Roy en veegt het bloed, dat nog steeds uit zijn neus loopt, weg met zijn mouw. Hij kijkt met toegeknepen ogen naar de kale man.

'Als jullie nou zorgen dat al dat geld bij mij terechtkomt, krijgen jullie het zusje terug. Dan ruilen we eerlijk', zegt de man terwijl hij Dolf uitdagend aankijkt. Sofie ziet uit een ooghoek dat Jikke naar Roy wenkt en een duwend gebaar maakt. Dan haalt Jikke diep adem en barst uit: 'Nee! Laat Sofie met rust! Neem mij maar mee! Ik verdien het, ik ben een trut, een stomme trut.' Ze klemt haar vingers om de kuiten van de kale man. Dan laat ze haar handen afdalen en trekt met een ruk aan zijn enkels terwijl Roy met een duik tegen de borst van de man springt. 'Ren, Sofie, wegwezen!' krijst Jikke. Sofie voelt hoe haar pols vrijkomt en Dolfs hand trekt haar mee, het bos in, naar de oprijlaan toe. 'Snel, snel, naar je huis', spoort hij haar aan. Ze rennen over het pad naar het grote huis toe, de ramen kijken onverstoorbaar en donker op haar neer. Papa's ogen, oh, waren haar ouders maar hier! 'We moeten achterom, ik heb de sleutel van de keuken', hijgt Sofie. Achter hen horen ze gegil van Jikke en de schreeuwende stem van Roy. Dan de gierende banden van een auto. Sofie grijpt met haar hand in haar zak, trekt de keukendeursleutel tevoorschijn en steekt hem met trillende vingers in het slot. Hij lijkt niet te passen, hij gaat er niet in.

'Dolf, hij wil niet', steunt Sofie snikkend.

Dolf neemt de sleutel uit haar hand en probeert. Hij vloekt kort.

'Shit, er zit nog een sleutel aan de binnenkant. Zo komen we nooit binnen', zegt hij zacht.

Felix – Een koude douche

Zondag 18.25

Felix ziet zijn zus en Dolf door het achterraam van de ambulance steeds kleiner worden. Hij zucht opgelucht. Dan draait hij zich om naar Gus. Die ligt stil op de brancard, de kleine man voelt zijn pols. 'Veel te langzaam... hij heeft geluk gehad dat jullie erbij waren. Anders had het wel eens verkeerd kunnen aflopen.'

'Hoezo?' vraagt Felix. Een beetje drinken lijkt hem geen kwaad te kunnen, Gus is gewoon ff uitgeteld. Waarom die vent daar nou zo'n toestand van maakt?

'Vaak struikelen mensen als ze dronken zijn en raken gewond. Dan hebben ze een breuk of hoofdwond en kunnen ze niet meer opstaan. Bij een beetje kou raken ze al snel onderkoeld. Dan stopt de stofwisseling en kunnen ze doodgaan', legt de man uit. Het lijkt wel een les, net zo doodsaai als die op school, denkt Felix. Het interesseert hem geen biet, maar hij knikt belangstellend.

'Hadden jullie wat te vieren?' vraagt de man.

'Euh, ja... zo'n beetje', antwoordt hij vaag.

'Zo te ruiken heb je zelf ook wat op. Hoe kwam je in het water terecht?' wil de man weten.

Felix voelt het broeien in zijn hoofd – heet – en de antwoorden lijken als rookwolkjes uit zijn mond te komen.

'Beetje dollen', antwoordt hij kort.

'Dan heb je mazzel dat je niet verdronken bent. Als je gedronken hebt, ben je een stuk trager in denken en handelen. Ben je op eigen kracht uit het water gekomen?' vraagt de man.

'Ja, nee, dat niet, ik kwam bij op de kant.' Felix probeert de herinnering te mijden maar met een rilling herbeleeft hij de duik. Pim die hem een duw gaf – of struikelde hij zelf? – gevolgd door een plons in het ijskoude water. Het lukte hem niet boven water te blijven, zijn benen wilden niet, het was of hij naar beneden gezogen werd. De watergeesten. Hij hapte naar adem, spartelde om niet te zinken, zoog de lucht in en ging steeds kopje-onder, telkens langer en dieper, grijs en kil werd het. Heel stil. Het eerste wat hij weer voelde, waren de lippen van die brave Dolf op zijn mond, gatver, en daarvan moest hij acuut kotsen. En toen was die kale gekomen. Klotezooi... als hij de kale het geld had gegeven, waren de jongens vast door het lint gegaan. Hij had alles geregeld willen hebben voor zes uur maar de wedstrijd had veel te lang geduurd, Gus met zijn slome gezuip, slapjanus. Zie hem nou liggen, in een ambulance! En hijzelf, gammel als de pest. Maar goed, hij was zo wel goed weggekomen bij die kale. En prinses Sofie heeft koning Dolf om haar te beschermen, daar hoeft hij zich niet druk om te maken. Niks aan het handje, relax man. Klote dat hij niet even een jointje kan roken. Of toch maar liever niet... hij begint behoorlijk misselijk te worden van het gewieg in de ambulance. Hij haalt even diep adem en rilt. Koud, zo koud. Pijn in zijn pols. De vingers van de hand die hij omhooghoudt, beginnen stijf aan te voelen. Zijn andere vingers omklemmen de kleren op zijn schoot, houvast.

'Gaat het?' vraagt de man.

'Ja, best', antwoordt Felix, en dan snel: 'Ik maak me alleen wel zorgen om mijn vriend.'

'Dat komt goed, jongen, we zijn er al.'

De ambulance stopt voor twee brede glazen deuren. Gus wordt uitgeladen en Felix volgt de mannen langzaam door de geopende schuifdeuren naar binnen. Ze passeren een halfronde balie waar twee verpleegsters telefonisch in gesprek zijn. De vloer is bedekt met donkergrijs zeil dat stevig voelt onder zijn voeten. Toch is het opeens of hij op een touwbrug over een ravijn zwalkt.

'Word je niet goed?' vraagt de kleine man.

'Voel me niet zo lekker', weet hij eruit te persen. Hartstikke beroerd is hij.

'Ik roep een verpleegster. Die zet je even onder de douche en kijkt naar je pols. Dan kom je daarna maar weer naar je vriend toe, goed?' stelt de man voor.

Felix knikt en leunt verkleumd tegen de muur. De man wenkt een verpleegster. Terwijl Gus een kamer ingereden wordt – kamer 7 – voelt Felix hoe hij aan zijn arm door een verpleegster wordt meegenomen. Zijn lijf voelt loodzwaar, mist hangt in zijn hersencellen, hij volgt de vrouw zonder nadenken naar een grote, witbetegelde badkamer. Ze kleedt hem uit en hij laat het gebeuren. Ze duwt hem in een douchecabine – klein, veel te klein, benauwd – maar hij heeft niet de kracht om te protesteren. Ze draait de kraan open en hij voelt de stralen neerdalen op zijn lijf, heet striemen ze zijn huid. Zijn bleke huid kleurt felrood door de warmte. Hij blijft staan, minuten, totdat de douchedeur weer wordt geopend en een hand de kraanknop omdraait. De kokende regen stopt. Vingers sluiten zich om zijn rechterarm en helpen hem de douchecabine uit.

'Kun je jezelf afdrogen?' vraagt de verpleegster.

'Moet lukken', mompelt hij, wankelend op zijn benen.

'Laat maar, ik help je wel', zegt ze, terwijl ze met de handdoek zijn lichaam droogwrijft. Hij kan zich niet herinneren wanneer er voor het laatste zo goed voor hem gezorgd is. Die verpleegster is net een moeder... zoals een moeder zou moeten zijn. Ze geeft hem zijn joggingbroek en sweater, die hij voorzichtig aantrekt. De natte kleren doet ze in een witte plastic zak. Net als hij de zak wil aanpakken, voelt hij een zure golf uit zijn maag oprukken, snelt naar een wc in de hoek van de ruimte en buigt voorover. Een staalborstel lijkt langs zijn slokdarm en keel te schrapen, schrijnend spuit het braaksel naar buiten. Hij spuugt de witte pot onder en houdt zijn ogen gesloten terwijl de tranen over zijn wangen glijden. Zijn kaken voelen ontwricht. Voorzichtig gaat hij weer rechtop staan, hij schaamt zich rot. Dan voelt hij de stevige hand van de verpleegster om de zijne, ze trekt hem mee en duwt hem neer op een harde houten stoel tegen de muur.

'Sorry', mompelt hij schor.

'Geeft niet, ik maak het schoon en dan gaan we je pols hechten. Daarna krijg je een kop thee met veel suiker van me, daar knap je van op', antwoordt ze luchtig.

Snel veegt hij de tranen van zijn wangen en wacht.

Als hij kamer 7 binnenloopt, staat een arts in een witte jas over Gus heen gebogen. De man draait zich om en neemt hem aandachtig op. 'Ben jij zijn vriend?'

Felix knikt. De man schudt zijn hand en stelt zich voor als Niek van der Roos, kinderarts.

'Hoe is het met jou?' vraagt hij.

'Ik had een snee in mijn pols, die is gehecht. Verder gaat het wel', antwoordt Felix vaag. Hij voelt zich gelukkig alweer een stuk vaster op zijn benen. Stevig houdt hij de zak met zijn natte kleren in zijn hand. Hij wil zo snel mogelijk naar huis, zijn zaakjes afhandelen.

'Je vriend heeft een alcoholvergiftiging. Zijn hartslag en lichaamstemperatuur zijn te laag, we houden hem hier voor onderzoek en observatie', vertelt hij, 'ik laat hem zo dadelijk naar de afdeling brengen voor bloedonderzoek en een infuus. Heb jij het telefoonnummer van zijn ouders?'

'Euh, nee, niet bij de hand. Ik kan even de mobiel van Gus checken', stelt Felix onzeker voor. Hij kent de ouders van Gus niet, nooit gezien.

'Goed idee. Loop maar mee naar de afdeling. We hebben hier in het ziekenhuis een speciale alcoholpoli, wel eens van gehoord?' De arts drukt op een knop bij de deur.

Felix schudt zijn hoofd terwijl hij de jaszakken van Gus doorzoekt. Hij voelt een doosje sigaretten, sleutels, een pakje kauwgom en ja, een mobiel. Felix trekt hem uit de zak. De deur gaat open en een verpleegster komt binnen. Ze praat even met de arts, knikt kort naar Felix en dan grijpt ze het bed van Gus bij het hoofdeind en wielt hem langzaam naar de deur. De arts wenkt Felix en duwt het bed aan het voeteneind de gang op. Felix volgt het bed met tegenzin. Het lijkt wel een begrafenisstoet, denkt hij, zonder dat hij het wil denken. Ze lopen een lange gang door, gaan de lift in, twee etages naar boven, weer een lange gang in en klapdeuren door. Dan wordt Gus een ruime kamer ingereden waar allerlei apparaten staan. Het bed wordt geparkeerd en een tweede verpleegster – een lelijke met dikke benen – komt binnen. Ze loopt op het bed af en trekt de jas en het shirt van Gus uit. Dan bindt ze een band om zijn bovenarm en steekt een naald in zijn elleboogholte. Felix heeft de neiging om 'auw' te roepen maar Gus verroert geen vin. De verpleegster tapt wat buisjes bloed af en verlaat dan weer haastig de kamer. De andere verpleegster plaatst zuignapjes op de borst van Gus die verbonden zijn met een monitor naast het bed. Even later is de hartslag op het scherm te volgen. Dan steekt de verpleegster een naald in de handrug van Gus, zet er een hulsje op en plakt dat vast met tape. Daarna bevestigt ze een lang, dun, doorzichtig slangetje aan het hulsje. De slang is verbonden met een transparante zak vol vloeistof – water lijkt het – die aan een standaard naast het bed hangt. Felix kijkt verdwaasd, alles gebeurt binnen minuten, bijna te snel om te kunnen volgen. De arts voelt aan de handen en voeten van Gus, legt een zilveren gewatteerde deken over hem heen en komt daarna naast Felix staan.

'Ik geloof dat ik maar ga', zegt Felix.

'Wacht nog even, ik wil je nog graag wat vragen stellen.' De arts wijst hem op een stoel en zegt: 'Ga daar maar zitten. We gaan nu het bloed van je vriend controleren op de hoogte van de bloedsuikerspiegel en de hoeveelheid zuurstof. Alcohol vertraagt de ademhaling en drukt de bloedsuikerspiegel. Als hij te weinig glucose in het bloed heeft, vullen we dat aan met een infuus. Hij krijgt nu al glucosezout toegediend, dat is tegen uitdroging.'

'Maar… euh, Gus heeft volgens mij wel zoveel gedronken dat hij echt niet uitdroogt', reageert Felix verwonderd terwijl hij gaat zitten. De zak zet hij op de grond naast zich neer.

'Da's verkeerd gedacht. Van alcohol ga je zweten en je gaat er vaker van plassen. Soms ga je er ook van braken. Dat is allemaal vochtverlies en veel meer dan iedereen beseft. Daardoor ontstaat ook de zogenaamde kater. Dat is hoofdpijn die wordt veroorzaakt door een tekort aan vocht in de hersenen', legt de arts uit.

'Oh', zegt Felix en hij herinnert zich een grapje, dat hij niet lang geleden hoorde: Hoe voorkom je een kater? Neem een poes. Daar kan die arts vast niet om lachen.

'Heb je het nummer van zijn ouders gevonden?' vraagt de arts. Felix kijkt naar de mobiel in zijn hand, duwt op de yes-toets bij telefoonboek en een serie namen doemt op. 'Pa' en 'ma' hebben verschillende nummers, ontdekt hij, ze zullen wel gescheiden zijn. Hij laat het lijstje aan de arts zien. Die neemt de mobiel aan en kiest zonder aarzelen voor 'ma'. Felix staat op en loopt langzaam naar het bed toe. Gus ligt erbij als een bleke inktvis, dunne, sliertige tentakels slingeren over zijn borst. Hij ademt traag en beweegt niet.

'Hij heeft een alcoholvergiftiging en is nog buiten bewustzijn. We wachten nu op de resultaten van het bloedonderzoek. We hopen dat hij zo snel mogelijk bijkomt', hoort Felix de arts zeggen in het mobieltje.

Hoe lang is Gus nu al buiten westen? Felix ziet op de monitor dat het net zeven uur is geweest. Dan is hij al een uur bewusteloos. Is dat lang? Zou hij in coma zijn?

'Ja, u kunt naar de kinderafdeling komen en naar de alcohol poli vragen, dan zie ik u over een halfuurtje. Tot dan', sluit de arts het gesprek af. Hij komt naar Felix toe en geeft hem de mobiel.

'Bewaar die maar voor je vriend.' Het klinkt alsof de arts verwacht dat het nog lang gaat duren voordat Gus hem weer zal kunnen gebruiken, vindt Felix. Nooit gedacht dat je zo ziek kon worden van drank, doodziek, dood... Voor het eerst voelt hij een vage bezorgdheid, een beetje zoals wanneer hij de cijfers van de proefwerkweek terugkrijgt.

'Het komt toch wel goed met hem?' vraagt Felix.

'Dat hangt ervan af', antwoordt de arts onheilspellend, 'wat hij precies gedronken heeft en hoeveel. Ik heb een vermoeden dat jij me daar meer over kunt vertellen. Klopt dat?'

Felix voelt zich alsof hij weer onder water wordt gezogen, een kille, knijpende greep rond zijn keel. Zijn schuld... is het zijn schuld? Dat vindt die dokter natuurlijk wel, als hij hem vertelt hoe het gegaan is. En Gus' moeder zal laaiend zijn, hem misschien wel aanvliegen.

'Nou, het was eigenlijk een soort spel dat we met z'n allen speelden. Degene die de meeste drank op kon, was de winnaar. Enneuh… Gus heeft gewonnen', hakkelt Felix. Hij durft de arts niet aan te kijken. Die schraapt zijn keel en zegt kortaf: 'Tja, en dit is dus zijn prijs. Een luxeovernachting in het ziekenhuis. Weet je wat hij gedronken heeft?'

'Euhm, bier, Jägermeister, wodka-jus, tequila en een mix.'

De arts zwijgt en schudt met zijn hoofd. 'Weet je wat er met je hersenen gebeurt als je zoveel achter elkaar drinkt in korte tijd?'

'Nou… je kunt niet meer goed denken en zo', reageert Felix.

'Ja, dat is wat je op het moment zelf merkt. Maar weet je wel dat alcohol onherstelbare schade aanricht bij jonge hersenen? Die zijn tot je 21e jaar in ontwikkeling en iedere keer als je meer dan vijf drankjes snel achter elkaar drinkt, beschadig je hersencellen. Daardoor kunnen je hersenen zich nooit meer volledig ontwikkelen. Het geheugen gaat achteruit en ook emotioneel kunnen er storingen ontstaan: depressies, labiel gedrag, zelfmoord, driftbuien enzovoort. Er zijn jongeren die van een vwo-opleiding zijn teruggegaan naar vmbo, binnen drie maanden, omdat ze niet meer konden meekomen. Het is als een kleuter die je iedere dag snoep voert: de tanden gaan rotten, ook die van het volwassen gebit in aanleg, al is het niet zichtbaar. Drink jij al lang?' vraagt de arts en kijkt hem indringend aan.

'Mwah, valt wel mee', mompelt Felix. Hij drinkt vanaf zijn twaalfde. Toen nog niet iedere dag, maar de jaren daarna steeds vaker en meer. Nu is hij zeventien en drinkt hij dagelijks wel iets, meestal bier of whisky, soms allebei. Zou hij daarom niet goed kunnen leren? Hij durft niets te zeggen of te vragen, het zweet staat in zijn handen.

'Knap griezelig, hè? Het zijn feiten die we pas sinds kort weten. Net als bij het roken had niemand in eerste instantie in de gaten hoe gevaarlijk het was. Maar goed, beter te laat dan nooit. Nu kunnen we jongeren tenminste waarschuwen. Ik hoop dat jullie zoiets gevaarlijks niet nog een keer uithalen, jongen. Hoe heet je?'

'Felix', antwoordt hij.

'Dat betekent geluk, weet je dat?'

Felix knikt, hij weet het. Maar hij heeft het niet... geluk. Alleen ladingen pech. Pokeren, dat is het enige waarin hij uitblinkt, daarin kan hij winnen, verslaat hij iedereen. Daarin is hij, nee, wás hij de man. Want ook dat is nu verdomme misgegaan. Dieper in de stront dan nu heeft hij nog nooit gezeten. Klotezooi.

'Ik denk dat ik maar naar huis ga', zegt Felix. Geld tellen, zaakjes regelen.

'Ja, ik zou maar een nacht goed slapen als ik jou was. Je vriend zal zo wel bijkomen. Een dergelijke coma duurt gemiddeld twee tot drie uur. Ik wil je vragen of je morgen in je schoolpauze hier kunt komen. Dan gaan we samen met je vriend wat websites bekijken en een vragenlijst invullen. Het lijkt me verstandig als jij ook meedoet in het nazorgprogramma. We proberen zoveel mogelijk jongeren die hier zijn geweest een periode te volgen. Zo kunnen we steeds beter vaststellen wat de gevolgen van te veel drinken op jonge leeftijd zijn. Kun je rond een uur of een hier zijn?' vraagt de arts.

Felix knikt. Hij kan, maar of hij het doet... dacht het niet.

De verpleegster komt binnen met een vel papier. Ze geeft het aan de arts en hij bekijkt het aandachtig. Ze overleggen even.

'Mmm, bloed ziet er redelijk uit. Iets te weinig zuurstof, bloedsuikerspiegel is goed. Alcoholpromillage van 2.9, da's veel, dat is ongeveer zeven tot vijftien glazen drank.' De arts keert zich naar Felix om en vraagt:

'Minstens 10 glazen drank, kan dat kloppen? Dat is meer dan jij zei.'

'Nou, het waren wel grote glazen, helemaal vol ook', antwoordt Felix terwijl hij de plastic zak van de vloer pakt, 'maar ik moet nu gaan.' Juist als hij de arts de hand geschud heeft, komt een kleine vrouw de kamer binnenrennen. Ze haalt snel adem en Felix ziet dat ze huilt, haar wangen zijn nat. Ze kijkt een moment hun kant op, snelt dan naar het bed en buigt zich over Gus heen.

'Oh schat, wat heb je toch gedaan? Waarom nou?' Ze strijkt met haar hand over zijn voorhoofd en kust hem dan zacht. Dan neemt ze de roerloze hand van Gus vast en blijft naar hem staren, onafgebroken, alsof ze hem met haar ogen wakker wil kijken. De arts knikt naar Felix en loopt dan naar de vrouw toe.

'Mevrouw, ik ben de kinderarts, Niek van der Roos. Wilt u misschien zitten?' vraagt hij.

Felix stapt in de lift, hij is de enige. Terwijl hij daalt, lijkt zijn maag te stijgen. De hechtingen bij zijn pols schrijnen. Hij voelt een misselijke vlaag opkomen en zijn hoofd begint te bonzen. De dokter had gelijk, hij moet eigenlijk naar bed. De liftdeuren glijden open en hij stapt uit. Er lopen mensen heen en weer, sommigen met fladderende witte jassen. In een hoek zit een groepje koffie te drinken. Bij de receptiebalie staan een meisje en een jongen. Hij kijkt wat scherper en blijft staan. Het zijn Sofie en Dolf.

Sofie – Afterparty

'Fix!' roept Sofie. Daar is hij! Ze kijkt naar zijn bleke gezicht, de holle ogen. Hij ziet eruit alsof hij gevochten en verloren heeft, vermoeid en verslagen. Ze voelt haar woede wegebben. Ze rent naar hem toe en klemt haar armen om zijn hals. Even laat hij het toe – hij houdt niet van knuffelen, weet ze – en dan maakt hij zich snel los uit haar omhelzing.

'Gaat het met je?' vraagt Sofie zacht.

Felix knikt en houdt zijn pols omhoog: 'Drie hechtingen, da's alles.'

'Hoe is het met Gus?' vraagt Dolf.

'Nog steeds bewusteloos. De dokter zegt dat hij zo wel bij zal komen. Hij moet een nachtje blijven, zijn moeder is er nu.'

'Jee, wat erg. Wat zal ze bezorgd zijn', reageert Sofie.

'Ja… ik wist ook niet dat het zo gevaarlijk kon zijn', zegt Felix.

'Ik heb er wat over gelezen in de krant. Comazuipen en de gevolgen ervan. Dat is wat Gus eigenlijk gedaan heeft', merkt Dolf op.

'Da's waar… stom van ons, we zijn te ver gegaan', reageert Felix.

'Ja. En waarom?' vraagt Sofie fel. Ze weet het antwoord, maar wil het van hem horen.

'De kick…' Sofie kijkt hem priemend aan, 'en, euhm… ik had geld nodig', antwoordt hij aarzelend.

'Ja, dat kregen wij ook in de gaten toen je weg was. Ongelooflijk, het leek wel een maffiafilm! Een kale man in een lange leren jas wou Sofie ontvoeren en haar ruilen voor geld dat jij hem schuldig bent! Gelukkig hebben Jikke en Roy hem omvergeduwd en konden Sofie en ik wegkomen', doet Dolf verslag.

Sofie vervolgt: 'Pim had intussen stiekem de politie gebeld en toen die kwam, ging die kale vent er met piepende banden vandoor in een knalgele sportwagen.'

'De politie?! Wat hebben jullie gezegd?' vraagt Felix scherp.

'Ik wist niet precies wat we wel en niet konden zeggen. We wilden jou niet nog meer in de problemen brengen. We hebben verteld dat die kale man het feest kwam verstoren en we hebben de politieman een beschrijving van hem gegeven. Ze gaan het in de gaten houden. Volgens mij was het dezelfde man als die in de stad… toen je ging zakkenrollen', stelt Sofie vast.

Felix knikt zwijgend.

'Is het waar, Fix, dat je die man moet betalen?' vraagt Sofie.

'Ja… da's waar.' Felix kijkt naar de grond.

'En wist je… dat, dat hij mij wilde ontvoeren, als je niet zou betalen?' vraagt Sofie. Haar stem hapert even, bang om verder te gaan. Ademloos wacht ze zijn reactie af. Felix heft zijn hoofd op en kijkt haar aan.

Dan slaat hij zijn blik neer en antwoordt: 'Nee, echt niet, Sof. Anders was ik natuurlijk nooit met die ambulance meegegaan, al was ik half doodgebloed', bezweert Felix.

Sofie sluit even haar ogen en zucht dan.

'Wat is er aan de hand, Felix, kunnen we je helpen?' vraagt Dolf.

Felix schudt zijn hoofd en zegt: 'Het is mijn eigen stomme

schuld. Ik heb gewed en verloren. Ik moet vijfhonderd euro betalen.'

'Jee, dat is veel geld,' roept Sofie uit, 'wat voor een weddenschappen zijn dat!?'

'Dat wil je niet weten, Sof, maakt ook niet uit', antwoordt Felix.

'Heb je wel zo veel geld? Anders mag je wel wat van me lenen.'

'Nou, niet nodig. Ik heb volgens mij wel genoeg, moet het alleen nog even tellen. Ik wou net naar huis gaan om alles te regelen', zegt Felix.

'Ja, ik wil ook naar huis. Maar ik kon er niet in want jouw sleutel zat aan de binnenkant van de bijkeukendeur. Jij hebt toch ook een voordeursleutel?' vraagt Sofie.

Felix kijkt haar even verward aan en houdt dan de plastic tas omhoog.

'Die zit in mijn broek!'

Hij trekt een natte spijkerbroek omhoog uit de tas, voelt in de broekzak en haalt er een sleutel uit tevoorschijn. 'Yep!'

Sofie kijkt naar de sleutel en schudt dan haar hoofd. 'Nee, dat is de sleutel van tante Eva, kijk dan, hij is goudkleurig. Die van ons zijn allemaal zilver van kleur.'

'Oh', zegt Felix verschrikt. Hij steekt de sleutel haastig weg in de zak van zijn joggingbroek. Dan voelt hij in de andere zak van zijn spijkerbroek. 'Hebbes', zegt hij. Hij laat de spijkerbroek weer in de plastic tas glijden en stopt de sleutel in zijn zak.

'Kom op, we gaan. Geld tellen en betalen. Dan zijn we voorgoed van die griezels af', stelt Sofie kordaat voor.

'Ja, dan is alles weer in orde', zegt Felix opgewekt.

'Nou, alles… ik weet natuurlijk niet wat papa en mama zullen zeggen, als ze thuiskomen', reageert Sofie.

'Dan zeggen we toch niks?' stelt Felix voor.

'Nou, pap merkt heus wel dat zijn kelder halfleeg is, denk je niet?' zegt Sofie.

'Ja, nou, we zien wel…' reageert Felix lauw.

'Sofie, ga jij met Felix op mijn fiets, ik loop wel naar huis. Lukt dat, Felix?' stelt Dolf voor. Felix knikt.

'Dan zie ik jullie morgen op school, oké?' zegt Dolf.

Even aarzelt Sofie. Dolf is veilig, Felix is chaos. Maar ze sust de sluimerende onrust. Felix is weer bij zinnen, alles komt in orde.

'Prima', zegt ze. Ze lopen samen door de grote glazen schuifdeuren naar buiten. Windvlagen grijpen in haar haren. Dolf pakt zijn fiets en grapt: 'Waarde prinses, uw stalen ros staat klaar.'

Felix neemt de fiets van hem over en stapt op. Sofie springt op de bagagedrager en zwaait naar Dolf.

Hij maakt een elegante buiging en gooit haar een kushand na.

Het schemert als ze de oprijlaan in fietsen. Ze passeren het boothuis. Sofie hoort de houten deur klapperen in de wind. Ze moeten nog opruimen, morgen. Dat mag Felix doen, als hij weer fit is. Ze naderen het huis. Felix hijgt en schraapt even zijn keel.

'Euh, Sof… niet schrikken, hoor, maar de voordeur staat open', zegt hij terwijl hij langzamer gaat fietsen. De woorden jagen haar hart op hol. Ze buigt opzij, langs zijn rug, om het huis te kunnen zien. De brede deur is wagenwijd geopend, de duisternis gaapt haar tegemoet. Chaos, ze wist het wel!

'Wat moeten we doen?' fluistert ze gespannen. Felix stopt bij de laatste dikke boom langs de oprijlaan. Ze stappen af en kijken elkaar aan.

'We zullen wel naar binnen moeten', zegt Sofie.

'Liever niet', reageert Felix met een zenuwachtig lachje.

'Doe normaal, Fix. We moeten toch kijken wat er aan de hand is. We kunnen het niet maken om nu weg te gaan. Misschien is alles wel vernield binnen', fluistert Sofie. Oh, haar arme vader, die is dol op het huis. Zijn symbool voor een geslaagd gezin. Ze bijt op haar lip en vraagt: 'Ga je met me mee, Fix?'
'Als het moet', antwoordt hij stug.
'Doe toch niet zo slap!' valt ze uit.
'Ja, sorry hoor! Ik ben bijna verzopen en mijn vriend heeft zich zowat dood gezopen, mag ik me even klote voelen?' snauwt hij.
'Oké, oké, je hebt gelijk', zegt ze verzoenend. Hij knikt en zet Dolfs fiets tegen de boom. Dan volgt hij haar, met veel gezucht en gesteun, door de schaduwzoom van de struiken naar het huis. Ze schuifelen met hun rug plat tegen de garage naar de voordeur toe, voetje voor voetje. Het is stil. Alleen de wind blaast en wordt suizend de hal ingezogen. Sofie sluipt met een zwaar bonzend hart naar de voordeur en tuurt om de hoek naar binnen. Zwart als de nacht. Ze wenkt Felix en pakt zijn hand vast. Die voelt steenkoud. Hij wil hem terugtrekken maar ze klemt haar vingers vast om de zijne.
'We doen het samen', sist ze zacht, 'wij gaan samen naar binnen, Fix.'

In de hal zoeken haar bevende vingers het lichtknopje. De kroonluchter licht op als vuurwerk. Even knippert ze met haar ogen. Ze laat de hand van Felix los, loopt verder en slaat links af de kamer in. Ze doet het licht aan. De drie lampen boven de grote eettafel verlichten de kamer.
'Fix!' gilt ze schril.
Felix komt de kamer binnenrennen en ze hoort aan zijn stokkende ademhaling dat hij schrikt.
'Fucking shitzooi!' vloekt hij.

Sofie klemt een hand voor haar trillende lippen. De woorden op de muren schelden haar uit alsof een harde stem de beledigingen door de ruimte schreeuwt. Vuurrode, druipende, liegende letters. SOFIE IS EEN SLET. FELIX IS EEN ZUIPLAP. SOFIE IS EEN SLOERIE. FELIX IS EEN LOSER. SOFIE IS EEN TEEF. FELIX IS EEN LAFBEK. SEXY SOFIE DE HOER. Een geopend verfblik staat op de tafel, de kwast staat er nog in. Er ligt een briefje bij. Felix ziet het ook en grist het met een driftige beweging van de tafel. Hij knijpt zijn lippen samen.

'Wat staat er?' vraagt Sofie met een schorre stem. Paniek krast met scherpe nagels langs haar maag.

'Ze willen het geld morgenvroeg hebben, om tien uur in het boothuis. Anders steken ze het huis in de fik. En de politie erbuiten laten, anders nemen ze ons ook te grazen', zegt hij met toonloze stem.

'Ze, wie zijn ze?!'

'De kale en zijn baas', verklaart Felix.

'Hoe zijn ze hier binnen gekomen?' vraagt Sofie en ze voelt haar stem beven.

'Ik heb mijn slaapkamerraam niet afgesloten, geloof ik. Sorry.'

'En het alarm dan?' vraagt Sofie. Meteen denkt ze aan de jongen die aan de deur kwam. Dan werkt het dus toch niet!

'Dat doet het wel vaker niet', antwoordt Felix.

'Vanaf nu sluiten we álles af, Fix, niemand komt er meer in!' roept ze.

Hij knikt en leest het briefje nog een keer.

'Geen politie, zeggen ze. Daar kunnen we ons maar beter aan houden, Sof.'

'Oh god… je hebt het geld, hè? Vijfhonderd euro, ja toch?' vraagt Sofie dringend.

'Ja, ik ga het geld tellen. Morgenvroeg zijn we van ze af.'

Hij grijpt in de plastic tas en haalt de natte spijkerbroek tevoorschijn. Voorzichtig trekt hij de stapel biljetten uit de achterzak. Kreukelig en vochtig zien ze eruit, het lijkt op speelgoedgeld.

'Zal ik helpen tellen?' biedt Sofie aan.

'Nee, ga jij maar nadenken over hoe we dat geklieder op die muur weg kunnen krijgen', antwoordt Felix. Hij strijkt de biljetten glad met zijn vingers en telt. Sofie laat haar ogen over de woorden dwalen. De muren zijn behangen met beige velours behang, duurste van het duurste uiteraard. Hoe krijg je verf van een muur? Terpentine of schuren... maar dan wordt de muur oerlelijk. Nee... haar blik glijdt naar de pot en de kwast. Natuurlijk! In de garage zal wel verf staan. Ja, misschien zelfs nog de verf van haar kamer: auberginepaars. Dat is in ieder geval dekkend op rood.

'Ik ga even in de garage kijken', zegt ze, 'gooi ik je natte kleren gelijk in de wasmand, ok?'

Felix knikt en humt 'shit, alweer de tel kwijt'. Hij heeft alle biljetten gladgemaakt en begint opnieuw te tellen.

Juist als ze naar de garage wil lopen, rinkelt de telefoon. Ze voelt haar hart in haar keel tekeergaan. Zelfs een telefoontje jaagt haar nu al angst aan. Ze schraapt haar keel, haalt een keer diep adem en neemt op.

'Met Sofie Verpoort.'

'Goedenavond, u spreekt met Stefan Berghaar van dagblad *De Visie*.

'Oh...' stamelt Sofie. Niet wat ze verwacht had.

'Is uw vader thuis?'

'Nee, die is er niet, ze zijn een lang weekend weg. Maar ik denk dat hij zo nog wel belt. Kan ik misschien iets doorgeven?'

'Ik heb hem eigenlijk nú nodig, zou dat kunnen? We moeten de krant zo op de pers hebben.'

'Ik kan u zijn mobiele nummer geven?'

'Graag.'

Ze legt de natte kleren op de grond en kijkt in het klappertje naast de telefoon en somt de cijfers op.

'Veel dank. En... jij bent Sofie?' vraagt de stem dan.

'Ja, dat klopt.'

'Mag ik je wat vragen stellen over jezelf?'

'Hoezo?' vraagt ze verbaasd en dan, 'Oh, is het misschien voor het schooltoneelstuk?'

'Uhm, ja, inderdaad... daar kunnen we het voor gebruiken', antwoordt de man.

'Nou, vraag maar raak, dan', zegt ze verheugd. Publiciteit, hoe meer hoe beter. Dan komen er extra veel mensen kijken.

'Hoe zou je jezelf omschrijven? Als een uitgaanstype?'

'Nou, nee, ik ben normaal, denk ik.' Nee, nee, Sof, juist niet te normaal doen, dat is saai, dat past niet bij een actrice, dik het wat aan, kan heus geen kwaad. Denk Xstream in plaats van slobbertrui. Snel vervolgt ze: 'Maar ik hou natuurlijk wel van dansen en lol maken met vrienden.'

'Met vrienden?' vraagt de man veelbetekenend.

'Ja, en vriendinnen, met z'n allen', antwoordt ze vrolijk.

'En je houdt van toneelspelen? Het serieuze werk of ook experimenteel?'

'Van alles. Nu spelen we Shakespeare maar ik vind modern theater ook geweldig', antwoordt ze.

'Zou je uit de kleren gaan voor een rol als dat nodig was?' vraagt de man.

Moet ze daar wel op antwoorden? Ja, anders vindt hij haar vast een tutje, een professioneel antwoord is hier op zijn plaats.

'Ja, als het een functie heeft, zou ik dat wel doen. Ik heb geen moeite met naakt', antwoordt ze zo zelfverzekerd mogelijk.

Jakkes, ze moet er niet aan denken, bloot op het toneel tegenover bijvoorbeeld Dolf, ze zou zich rot schamen.

'Prima, ik weet genoeg, bedankt voor je reactie', antwoordt de man.

'Komt u kijken dinsdagavond?' vraagt Sofie.

'Uhm, ja, waarschijnlijk wel', reageert de journalist en hij hangt met een 'goedenavond' op.

Sofie maakt een sprongetje van plezier. Maar dan beseft ze weer waar ze naar op weg was – de garage – en ze voelt haar lippen verstrakken. Bah, stomme Fix, allemaal zijn schuld. Als haar ouders terug zijn, zal hij echt met ze moeten gaan praten, over alles. Ze pakt Felix' kleren op en loopt via de bijkeuken naar de garage, knipt het licht aan, gooit de natte spullen van Felix in de wasmand en speurt dan in de rekken. Laarzen, bloempotten, vazen, aha, verfpotten. Ze herkent de pot die ze gebruikt heeft voor haar kamer direct. Een dieppaarse vlinder staat erop. Fles terpentine en twee kwasten, perfect. Met haar handen vol loopt ze even later de hal weer in. Ze ziet dat Felix de telefoon terugzet.

'Was er telefoon?' vraagt ze.

'Ja, het was mama. Het ging goed met ze. Ik heb maar niks verteld over de toestand hier, leek me beter. Als ze terug zijn, is alles toch al weer in orde', antwoordt Felix.

'Ja, maar ik vind wel dat je met ze moet praten, Fix, beloof je dat?' Hij mompelt iets onverstaanbaars en vraagt dan: 'En wie had jij net aan de lijn?'

'Oh, de krant. Ze wilden papa spreken en daarna vroegen ze wat over het toneelstuk', reageert ze.

'Cool. Ik heb het geld geteld. Ik heb bij elkaar vijfhonderdvijftig euro.'

'Mooi, dan kun je morgen betalen. Gaan we nu de kamer verven', zegt Sofie beslist.

Felix kijkt met een vies gezicht naar de kwast die ze hem voorhoudt.

'Ik kan nu geen verflucht verdragen, hoor, ik heb al een knallende koppijn', klaagt hij.

Sofie zucht diep en zegt: 'Ga jij de spaghetti dan maar opwarmen. Of word je daar ook ziek van?' vraagt ze kortaf.

'Nee, dat zal wel lukken. Ik spoel het gewoon weg met een biertje', antwoordt hij luchtig terwijl hij de kamer uitloopt. Ze kijkt hem hoofdschuddend na. Hij leert er geen bal van, nergens van! Op school niet, hier niet. Zelfs niet van zijn fouten. Hopeloos!

Felix – Goede daden

Maandag, 8.10

Zijn hoofd dreunt – bonk, bonk – als hij wakker wordt. Lang zaam draait hij zich op zijn rug. Misschien valt de pijn zo wel te verdelen over zijn hele schedel. Maar het blijft hameren, vooral in zijn voorhoofd, boven zijn ogen. Voorzichtig opent hij zijn oogleden en probeert de tijd af te lezen op de klok. Veel te vroeg, omdraaien en slapen. De afspraak is pas om tien uur. Hij schrikt als er vinnig op zijn kamerdeur getikt wordt.

'Laat me met rust, verdomme', mompelt hij vermoeid.

De deur draait open en Sofie stapt zijn kamer binnen.

'Opstaan. Je moet naar school en het boothuis opruimen', zegt ze kortaf.

'School?! Ben jij maf? Ik moet om 10 uur dat geld betalen! En het opruimen kost me minstens een halve dag! Ik heb echt geen tijd om naar school te gaan, hoor', reageert hij fel.

'Als je nú opstaat en begint met opruimen, kun je vanmiddag makkelijk naar school', houdt Sofie vol.

'Sjesus, ben je aan het oefenen voor een moederrol of zo? Laat me met rust', snauwt hij.

'Nee, je moet opstaan, Fix. Ik heb zowat de hele nacht geverfd voor jou, ik heb geen zin om straks ook nog het boothuis te moeten schoonmaken. Kom op, uit je nest.' Ze loopt naar hem toe en trekt het dekbed weg. Hij heeft zin om keihard te vloeken maar beheerst zich als hij haar paarsbevlekte vingers ziet.

'Oké, oké, ik kom eruit', mompelt hij.

'Ik wil het eerst zien', dringt ze aan.

Hij gaat overeind zitten, zet zijn voeten buiten het bed, staat op en rekt zich uit.

'Zo genoeg gezien?' vraagt hij dan.

'Nee, ik ben nog niet helemaal overtuigd. Pas als je onder de douche staat, geloof ik je', zegt ze.

'Douchen doe ik liever alleen', antwoordt hij, 'ga jij maar naar school. Ik beloof je dat ik zal opruimen, echt.'

'Echt?'

'Ja, ga nou maar!'

'En beloof je ook dat je Gus zult bellen om te vragen hoe het met hem is?'

'Ja, generaal. Maar dan moet jij tegen Griffers zeggen dat ik ziek ben vandaag', eist hij.

Ze kijkt hem even strak aan, knikt kort en loopt dan met een 'doei' de deur uit.

Hij hoort haar de trap aflopen en niet lang daarna slaat de deur van de bijkeuken dicht. Hij aarzelt even en laat zich dan weer languit op zijn bed vallen, trekt het dekbed over zich heen en sluit met een diepe zucht zijn ogen. Hij wordt wakker van de deurbel, die lang en doordringend rinkelt. Met een ruk zit hij overeind en kijkt op de klok. O, shit, vijf over tien. Vast de kale die staat te bellen. Hij springt uit bed en opent het raam. Ja, een bleke schedel, hij krijgt zin om er een fluim op te droppen. En een jongen in het zwart die hij herkent, ja… dat is de kerel die hem bij de jeugdsoos had uitgenodigd voor het eerste potje poker in 'Pull'. En door dat potje en de potjes erna heeft hij zijn scooter verloren, verdomme. Klerelijer.

'Ik kom eraan!' roept hij uit het raam. De twee hoofden schieten omhoog.

'Ik zou maar voortmaken, vriend, we houden niet van wachten', zegt de kale dreigend.

'Ga maar vast naar het boothuis, ik ben er zo', antwoordt Felix nerveus. Hij voelt zijn darmen dansen in zijn buik, het zijn de zenuwen. Snel ff een blowtje zo, dan kan hij er weer tegen. 'Als je maar opschiet, loser, je weet dat je bij ons niet met geintjes aan moet komen. Hoe vond je lekkere zus de kamer gepimpt? Gewaagd, hè?' zegt de kale smalend. Grinnikend lopen de man en de jongen weg over de oprijlaan. Ze verdwijnen tussen de bomen, richting het boothuis. Felix schiet in een spijkerbroek en shirt en steekt zijn blote voeten in gympen. Hij pakt het stapeltje biljetten van onder zijn hoofdkussen en propt het geld haastig in zijn achterzak. Snel draait hij een stickie en steekt hem aan. Dan roffelt hij de trap af. Hij trekt de koelkast open, pakt de halfvolle fles cola en zet hem aan zijn mond. Hij klokt wat slokken naar binnen, zet de fles op het aanrecht en haalt diep adem. Nog een paar flinke halen aan de sigaret en hij is klaar om te gaan.

Als hij de deur van het boothuis binnengaat, walmt een zure lucht van alcohol en braaksel hem tegemoet. Zijn lege maag trekt samen. Felix ziet hoe de kale drie flessen whisky op een vol bierkrat legt dat voor zijn voeten staat. De man zegt grijnzend: 'Zo, da's voor mij. Dat heb ik wel verdiend na dat geouwehoer van gisteravond. Ik snap niet waar die politie opeens vandaan kwam. Snap jij het?' Hij kijkt Felix strak aan. Felix haalt zijn schouders op.

'Jij weet niet zoveel, hè?' spot de jongen. Hij staat, geleund tegen een wand, een sigaret te roken en neemt Felix minachtend op. Loser, lijken zijn ogen te spellen.

'Ik heb het geld', zegt Felix.

'Geef maar hier, dan tel ik het', antwoordt de kale, 'ik hoop voor je dat het klopt.'

Felix voelt hoe zijn ingewanden zich roeren, hij krijgt het benauwd. Het lijkt alsof hij weer onder water verdwijnt, snakkend naar lucht. Hij loopt snel naar de deur en haalt een paar keer diep adem.

'Wou je hem weer smeren, mietje?' roept de kale.

'Nee, ik ben misselijk, kater van gisteren', antwoordt hij kort. Een zeemansgraf, dat wenst hij die klojo's toe. Dat ze stikken, hun longen langzaam vollopend met water.

'Je hebt je zusje gisteren zomaar in de steek gelaten…' zegt de kale hoofdschuddend. Hij telt het geld tussen de woorden door.

Felix zwijgt.

'Die vriend van je… ligt die nog in het ziekenhuis?' vraagt de kale.

'Ja.'

'Je hebt geen geluk in het spel. En je brengt je familie en je vriend ook geen geluk, hè', stelt de kale vast.

Felix antwoordt: 'Het was anders zijn eigen keuze, hoor, hij wilde drinken en winnen.'

'Je moet zuinig op je vrienden en familie zijn. Maar dat snapt jullie slag niet, geloof ik', zegt de kale man. Hij steekt het geld met een tevreden glimlach in de binnenzak van zijn zwarte leren jas.

'In orde zo?' vraagt Felix. Met een ratelend hart wacht hij het antwoord af.

'Wat mij betreft wel. Het is vijfhonderd euro. Maar ik weet natuurlijk niet wat Ludo ervan vindt. Het ziet er wel wat verwassen uit, te wit gewassen naar mijn zin', zegt de kale lachend, 'ik heb geld het liefst zo zwart mogelijk. Ik hou van zwart. Van kranten krijg je ook zwarte handen, wist je dat?' De jongen grinnikt met de kale mee.

'Zal best. Ik lees nooit kranten, doodsaai. Als jullie nu willen gaan… ik moet hier opruimen', zegt Felix ongemakkelijk.

'Ja, ja, we zijn al weg. Neem ik dit kratje wel voor je mee, opgeruimd staat netjes. Tot ziens, loser', zegt de kale man terwijl hij het krat optilt. Ze lopen langs hem heen. Bij de deur stoot de jongen – vast niet per ongeluk, denkt Felix – een serie lege flessen van de tafel waar Roy de avond ervoor zat. De flessen spatten uit elkaar op de grond en het schelle gerinkel jaagt pijnscheuten door Felix' schedel. Hij hoort hun stemmen nog even en dan zijn ze weg. Felix voelt zijn benen trillen en haalt een paar keer diep adem. Hij is van ze af! Eindelijk van ze af! Als hij niet zo'n zwaar hoofd had, zou hij nu springen en dansen. Hij kijkt om zich heen. Gore zooi. Als hij ergens geen zin in heeft, is het schoonmaken. Maar het zal wel moeten, anders gaat Sofie weer zeiken en hij heeft al hoofdpijn genoeg.

Twee uur later heeft hij alle scherven met de kruiwagen in het bos gedumpt en begraven. De lege flessen en glazen heeft hij naar de bijkeuken gekruid. De overgebleven volle flessen drank en kratten bier heeft hij weer in de kelder opgeslagen. Af en toe rinkelde de telefoon maar hij vond zichzelf te druk om aan te nemen. Eén ding tegelijk was al heftig genoeg. Hij stapelde de stoelen op tegen de wand van het boothuis. Ten slotte boende hij met een bezem en wat emmers warm water en sop de houten vloer schoon. Net als hij de laatste emmer leeggooit op het gras voor het boothuis, gaat zijn mobiel.

Hijgend zegt hij: 'Fix hier.'

'Felix Verpoort?' vraagt een vrouwenstem.

'Ja, dat ben ik', antwoordt hij, op zijn hoede.

'Ik ben de moeder van Gus. Hij heeft me jouw nummer gegeven. Je bent zeker wel benieuwd hoe het met hem gaat?' vraagt ze. Nadat Sofie hem vanochtend even noemde, heeft Felix geen seconde meer aan Gus gedacht. Hij kan niet goed inschatten of Gus' moeder de vraag sarcastisch bedoelt. Gaat ze moeilijk doen? Wil ze hem de schuld geven? Hij denkt razendsnel na. 'Ja, mevrouw, ik wil erg graag weten hoe het met hem gaat! Eigenlijk', hij kijkt even snel op zijn horloge, 'wil ik om een uur bij hem in het ziekenhuis zijn. De dokter vroeg gisteren of ik dan samen met Gus naar websites en zo kom kijken', antwoordt hij. De vrouw zwijgt even – misschien verrast door zijn reactie – en zegt dan vriendelijk: 'Dat is heel aardig van je, Felix. Het gaat gelukkig goed met Gus. Hoofdpijn en slap maar wel weer helemaal bij. Nou, dan zie ik jou zo in het ziekenhuis. Tot dan.' Felix steekt zijn mobiel weer in zijn broekzak en zucht. Verdomme, nóg geen rust. Maar voorlopig kan hij iedereen maar beter te vriend houden. En kalm aan doen met pokeren, geen schulden maken. Hij loopt met de emmer en bezem terug naar het huis. Terwijl hij ze in de bijkeuken zet, hoort hij dat de telefoon net stopt met rinkelen. Mooi zo, hij heeft geen zin in nog meer rottelefoontjes. Honger! Uit de broodtrommel grijpt hij vier witte boterhammen, besmeert ze met boter en gooit er een dikke laag hagelslag op. Hij propt ze achter elkaar naar binnen en drinkt daarna de halve fles lauwe cola leeg, die op het aanrecht staat. Een boer borrelt op, hij laat hem luid door de stille keuken galmen. Lekker, dat lucht op. Hij loopt naar de hal en rukt zijn jas van de kapstok. Dan gaat hij door de voordeur naar buiten en pakt zijn fiets. Goed werk doen, Gus bezoeken en braaf naar de praatjes van de dokter luisteren. Saaie klotezooi. Maar beter dan school, dat wel.

Gus staat al op hem te wachten bij de glazen klapdeuren van de kinderafdeling. Het ziet er niet uit: zo'n grote vent als Gus op een afdeling waar vooral kleuters liggen, denkt Felix. Hijzelf zou zich er zeker voor schamen hier te moeten liggen.

'Hey Fix, hoe is-ie?' vraagt Gus hartelijk.

'Best mattie. Maar hoe is het met jou?' reageert Felix en hij slaat Gus op zijn schouder. Ze lopen langzaam verder door de gang.

'Gaat wel weer. Ik was echt totaal van de wereld, man. Kan me na die wodka-jus eigenlijk niks meer herinneren. Vannacht kwam ik pas weer bij, maf, met zuignappen op mijn buik, allemaal draadjes aan mijn lijf, in een wildvreemd bed. Gelukkig zat mijn moeder naast me, anders had ik gedacht dat ik gekidnapt was in een ruimteschip, echt man. Kotsmisselijk was ik, wel drie bakjes volgekotst', vertelt Gus. Felix voelt zijn maag even draaien.

'Toen moest ik allemaal vragen beantwoorden, hartstikke simpel, ik wist alles. Daarna kreeg ik wat te drinken. Vanochtend twee boterhammen en wat rondlopen. Nu heb ik alleen nog knallende koppijn en gammel ben ik ook. Ik mag zo naar huis, zei de dokter, maar eerst moeten wij samen naar hem toe. En ook nog naar een pedagoge', Gus draait zijn ogen naar het plafond, 'wat dat ook wezen mag.'

'Een pedagoge is iemand die alles weet van het opvoeden van kinderen', klinkt een vrouwenstem achter hen. Ze draaien zich om.

'Hey mam!'

'Dit zal Felix zijn?' vraagt de kleine, donkerharige vrouw.

'Ja, ik ben Felix', antwoordt hij. Ze steekt haar hand uit en stelt zich voor als Anna Rutgers.

'Dat was nogal een wild feestje gisteren. Jammer dat het zo ver heeft moeten komen, vind je niet?' zegt ze. Ze kijkt hem oplettend aan, alsof ze zijn brein aan het scannen is.

'Ja, euh…' Felix kijkt onzeker naar Gus. Wat heeft die zijn moeder verteld?

'Mam, dat heb ik toch al gezegd! Het was gewoon pech. We deden een spelletje en het liep uit de hand. We zullen het nooit meer doen, hè Felix', reageert Gus snel. Felix kijkt hem opgelucht aan. Toch wel een toffe gozer, die Gus.

Gus' moeder knikt en zegt: 'Goed, dan gaan we nu naar de pedagoge. Ik weet waar we moeten zijn.' Ze volgen haar door de gang. Tegenover de kamer waar Gus lag, lopen ze een deur binnen. Een jonge vrouw staat op van achter haar bureau, steekt haar hand uit, schudt die van hen en stelt zich voor: 'Ik ben Ellen de Groot. Neem plaats, dan zal ik jullie uitleggen wat we gaan doen.'

Felix en Gus gaan naast elkaar tegenover haar zitten.

'We gaan zo wat websites bekijken over alcoholmisbruik door jongeren en daarna vragenlijsten invullen. Jullie krijgen ook wat lijsten mee naar huis voor school. Maar eerst wil ik jullie zelf een vraag stellen. Weten jullie eigenlijk wat het grootste gevaar van alcohol is?' vraagt Ellen.

'Dat je niet meer weet wat je doet?' antwoordt Gus.

'En dat je omvalt', zegt Felix.

'Ja, dat is inderdaad gevaarlijk. Maar het is nog veel erger dan dat. Alcohol beschadigt je hersenen als je jong bent, die krijgen dan niet meer de kans te volgroeien. Ik neem aan dat jullie wel graag een diploma willen halen straks?' vraagt Ellen belangstellend.

'Jawel', zegt Gus. Felix knikt.

'Dan zou ik als ik jullie was niet meer zo veel drinken, anders kun je dat wel vergeten. Alcohol vernielt hersencellen en dat vermindert je geheugen. Je wordt dus dommer, kunt slechter leren en onthouden, minder goed plannen en het wordt moeilijk om je te concentreren.'

'Wat vreselijk', reageert Gus' moeder geschokt, 'dat wist ik niet!'
'Ja, helaas is nog niet algemeen bekend dat alcohol onherstelbare schade aan de hersenen veroorzaakt. Het probleem is groot. Nederlandse kinderen staan inmiddels bekend als de zuipschuiten van Europa. Ze drinken, na Oostenrijkse kinderen, het meest. Ze drinken te vroeg, te veel en te vaak. Met een groot risico op hersenbeschadiging, verslaving en een grotere kans om in allerlei problemen te raken', legt Ellen uit aan Gus' moeder. Dan richt Ellen zich tot Gus, kijkt hem aandachtig aan en vraagt:
'Gus, vertel eens. Wat is er precies gebeurd? Hoe kwam het dat je zoveel dronk? Waarom heb je dat gedaan?'
'We deden een spel, wie het meest kon drinken', antwoordt Gus.
'Was dat bij iemand thuis?'
'Ja, bij Felix hier, hij gaf een feestje', antwoordt Gus.
De ogen van Ellen rusten nu op Felix. Scherp en wakker. Felix vouwt zijn armen voor zijn borst.
'Hoe kwam je aan de drank?' vraagt Ellen.
'Nou, euh, van mijn ouders.'
'Waren je ouders bij het feest?'
'Nee, ik heb het feest in het boothuis gegeven. Dat ligt in het bos bij ons huis', antwoordt Felix.
'En wat vonden je ouders van deze toestand met Gus?' vraagt Ellen.
'Ja, niet leuk… denk ik', antwoordt Felix zo vaag mogelijk. Maar die pedagoge lijkt alles te horen, ook wat hij niet zegt.
'Denk ik, zeg je… dus je weet het niet zeker? Waren je ouders misschien niet thuis?' vraagt Ellen.
Wat moet hij nu antwoorden? Liegen? Nee, die pedagogische bitch heeft dat vast gelijk in de gaten, verdomme. Hij voelt zijn handen klam worden. Hij houdt niet van dit soort ge-

sprekken, van vragen die hem insluiten als tralies. Hij wil weg! 'Mijn zus en ik gaan het morgen vertellen, dan zijn mijn ouders weer terug', zegt hij terwijl hij langs de vrouw naar buiten kijkt. Weg hier, hij wil weg!

'Goed, daar vertrouw ik dan op', zegt Ellen.

'En anders zorg ik er wel voor', klinkt de stem van Gus' moeder, 'ik ga contact met zijn ouders zoeken. Het lijkt me verstandig om hier nog even goed over na te praten.'

Ellen knikt goedkeurend. Shit, stomme trutten! Felix haalt een paar keer diep adem. Sluit je af, man, doe net of je een blowtje hebt gehad. Maak het lekker mistig in je hoofd. Ellen is opgestaan en Felix sloft achter Gus en de twee vrouwen aan naar een recreatiezaal waar een computer in een hoek staat. Ze gaan zitten. Ellen zoekt drie sites op, die ze samen met hen bekijkt. Terwijl Ellen daarna met Gus en zijn moeder vragenlijsten doorneemt, bekijkt Felix – totaal tegen zijn zin – de site www.watdrinkjij.nl maar hij ziet en leest niets. Hoe zullen zijn ouders reageren als ze van het feestje horen? Dat zal wel meevallen, verwacht hij. Maar als die moeder van Gus gaat bellen... verdomme, houdt het gezeik dan nooit op? Ja, klinkt een stemmetje in zijn hoofd, het houdt op als jij ophoudt. Stoelpoten schrapen over de vloer. Ellen staat op en komt naast hem staan. Ze geeft hem een stapeltje papieren aan en zegt: 'Hier, Felix, heb jij ook wat vragenlijsten. Die mag je thuis met je ouders en op school invullen. Dan kun je ze bij onze volgende afspraak ingevuld weer meenemen.'

'Volgende afspraak?!' roept hij geschrokken.

'Ja, binnen twee weken zien wij elkaar weer terug. Zo, nu gaan jullie met dokter van der Roos nog even de rest van de nazorg doorspreken en de afspraken vastleggen. Felix en Gus, ik zie jullie dan binnenkort weer. Zal ik jullie even naar de kamer van dokter van der Roos brengen?'

Voor de deur van de kinderarts schudt ze hen alle drie stevig de hand en loopt weg. Felix voelt zich bevrijd. Heel even maar. Gus' moeder klopt en daar zwaait de deur voor hen al open. De dokter nodigt hen uit om binnen te komen.

'Neem plaats, jongens. Mevrouw Rutgers, daar staat ook een stoel voor u', wijst hij op een lage zithoek. Felix en Gus gaan zitten aan het bureau, tegenover de dokter.

'Zo, Gus, hoe is het nu met je?' vraagt de arts.

'Alleen nog koppijn en behoorlijk slap.'

'Dat zal vandaag nog wel zo blijven. Maar het is verder goed met je afgelopen, Gus. Jongens, ik ga nu met jullie bespreken hoe de nazorg eruitziet. Over twee weken komen jullie hier weer terug voor een afspraak met Ellen en een afspraak met mij. Als alles dan in orde is, komen jullie over een half jaar nog een laatste keer terug voor een eindcontrole. Felix, ik wil jou graag terugzien met Gus. Ik denk dat nazorg voor jou ook zinvol en leerzaam is. Ben je dat met me eens?'

'Tja, ik weet niet…' reageert Felix aarzelend.

'Ik weet het wel. Je was er gisteren niet best aan toe, Felix. Een paar glazen meer en dan had jij ook hier gelegen. Kennen jullie de ziekte van Korsakov?' vraagt de arts, terwijl hij hen beurtelings aankijkt.

Gus schudt zijn hoofd en Felix kucht een keer. Hij wil die ziekte ook liever helemaal niet leren kennen maar de dokter vertelt al verder.

'Korsakov is een hersenziekte die je kunt krijgen als je regelmatig zoveel drinkt als jullie. Er zijn al mensen van twintig die het hebben. Het lijkt op dementie. Heb je misschien grootouders die dement zijn?'

'Ja, mijn opa', antwoordt Gus en hij kijkt zorgelijk.

'Nou, zo moet je het je voorstellen. Vergeetachtig, angstig en somber. Moeite met onthouden en plannen maken. Akelig, maar helemaal erg als je jong bent en je hele leven nog voor je hebt', zegt de dokter.

'Sjesus, ja', zegt Gus en hij knikt heftig. Felix probeert de woorden af te laten glijden maar het blijft in zijn hoofd klinken: somber. Zo voelt hij zich zowat iedere dag! De stem van de arts dreunt door.

'Je moet "nee" durven zeggen, geen meeloper zijn. En niet drinken uit verveling of eenzaamheid. Dat geldt voor alle genotsmiddelen en verslavingen. Ga in plaats daarvan lekker sporten of leuke dingen doen met vrienden, vrijwilligerswerk of wat dan ook, maar zorg dat je uit de gevarenzone blijft!'

Gevarenzone, gevarenzone.

De vijf lettergrepen blijven galmen in zijn schedel, onderweg naar huis.

Sofie – Slecht nieuws

Maandag 15.30
Sofie loopt de bijkeuken binnen en sluit de deur achter zich.
Muziek dendert door de hal. Het geluid komt uit de woonkamer, zo te horen. Ze zet haar schooltas in de hal bij de trap. Op
de voordeurmat liggen de krant en wat enveloppen. Ze raapt
alles op en neemt het stapeltje mee de kamer in. De muziek en
de auberginekleurige muur lijken haar aan te vliegen.
'Fix, zet eens wat zachter!' schreeuwt ze.
Hij hangt op de bank, zijn blote voeten uitgestrekt op de glazen salontafel. Een halfvolle fles whisky staat tussen zijn benen
geklemd. Zijn duim zapt van zender naar zender. Hij kijkt
geërgerd haar kant op en daarna weer naar de televisie.
'Griffers vroeg naar je op school. Waarom moet je eigenlijk
naar de rector?' informeert ze.
Even lijkt hij haar te willen negeren maar dan bedenkt hij zich
blijkbaar. Hij haalt met tegenzin zijn ogen van het televisie-
scherm en antwoordt: 'Keertje te veel gespijbeld. Niet zeuren,
please, ik heb nogal een drukke dag gehad.'
'Heb je het geld betaald? Is alles in orde nu?'
'Ja, de kale was tevreden.'

'Opgeruimd?'

Hij knikt.

'Ga je papa en mama vertellen wat er gebeurd is, over die weddenschappen en zo?'

Hij schiet overeind en kijkt haar scherp aan.

'Wel over het feestje, niet over de rest. Gebeurd is gebeurd. En jij houdt je mond dicht', zegt hij donker, 'ik heb echt geen zin in nog meer gezeur.'

Hij keert zijn gezicht weer naar het wildflikkerende scherm.

'Het is veel beter om er wel met papa over te praten. En wat moet je eigenlijk met die whisky?'

Hij draait zijn hoofd haar kant op en kijkt haar minachtend aan.

'Ik heb dorst. Ga jij nou maar lekker toneelspelen en laat mij met rust, oké?'

Sofie spert haar mond open maar beheerst zich dan. Nee, niet opwinden, niet nu. Vanavond is de generale, ze moet stralen. Ze haalt diep adem en zegt:

'Ik ga huiswerk maken.'

Hij kijkt haar nors aan.

'Doe dat.' Ze draait zich om, verlaat de kamer en trekt de deur hard achter zich dicht. Ze leunt even met haar voorhoofd tegen de halmuur. Felix… wat voert hij uit, wat voelt hij, wat denkt hij? Hij doet zo agressief. Nou ja, misschien voelt hij zich nog akelig door de kater. En gisteren heeft hij het natuurlijk ook flink voor zijn kiezen gehad. Niet te veel tobben nu, Sof, heeft geen zin. Vanavond de generale. Victor zit dan vooraan, ze wil goed presteren. Ze draait zich om, legt de brieven op de haltafel en neemt de krant mee naar de keuken.

Ze zet de waterkoker aan, pakt een beker en een theezakje en ploft op een keukenstoel neer. Langzaam vouwt ze de *De Visie* open en laat haar ogen over de voorpagina gaan. Dan bladert ze door naar het plaatselijke nieuws. Als ze de vette kop leest, snakt ze naar adem: '**Zoon wethouder bekladt gemeentehuis**'.

Die foto... dat is Felix! Hij is bezig woorden te spuiten op de muur van het gemeentehuis. En wát voor woorden! FELIX VERPOORT IS EEN ZUIPSCHUIT. Wát een ongelooflijke idioot. En eronder staat een foto van haarzelf! In het boothuis, het zwarte jurkje aan, haar hand in die van Dolf, terwijl die vieze, stinkende jongen haar probeert te zoenen. Haar ogen snellen langs de woorden en ze kreunt.

'**Dochter van wethouder Verpoort aan de zwier op een feestje in het boothuis, tijdens de afwezigheid van hun ouders. Ze heeft als hobby toneelspelen en schuwt naaktrollen niet. Na afloop van het feest werd laveloze jongere per ambulance afgevoerd.**'

O, vreselijk! Wat een walgelijk bericht. Zij moest zo nodig stoer doen tegen die journalist. Oh, als papa dit ziet... ze voelt een felle woede opkomen, via haar ingewanden loeit een vuurbal naar haar hoofd en zet daar haar gedachten in lichterlaaie. Ze springt op van de stoel, rent met de krant in haar hand naar de kamer en gooit de deur open. Ze smijt de krant voor Felix op de salontafel en gilt: 'Hoe kon je dit nou doen, gestoorde gek! Snap je niet hoe erg dit voor papa is? En voor mij? Voor ons allemaal!?' Haar ogen lijken te smeulen in haar gezicht. Heet, woedend. Hij schrikt overeind, gaat rechtop zitten en buigt zich over de krant. Zijn kaken verstarren en hij trekt bleek weg. Hij buigt zich nog verder naar de krant toe, alsof hij zijn ogen niet vertrouwt.

'Shit! Hoe kan dat nou... die foto... echt, Sof, het is niet mijn schuld...' stamelt hij.

'Idioot! Hoezo niet jouw schuld? Dit ben jij toch!' schreeuwt Sofie vlak bij zijn gezicht.

'Maar ik móest het doen, Sof, voor het geld, om mijn schuld te betalen!'

'Ach, klets niet! Je had het geld zo van mij kunnen lenen', reageert ze fel.

'Nee, dat kon niet, écht niet... ik moest het met wedden verdienen.'

'En hoe weet de krant van het feestje?! Is dat ook weer zo'n rotgeintje van jou?' roept Sofie uit.

'Nee! Natuurlijk niet!' schreeuwt Felix kwaad. 'Ik baal er net zo van als jij, trut!'

De telefoon rinkelt. Sofie kijkt Felix een paar seconden giftig aan en spuugt het woord 'stommeling' uit voordat ze naar de hal loopt om aan te nemen.

'Sofie Verpoort', zegt ze hijgend in het toestel. Ze probeert haar ademhaling onder controle te krijgen. Woest is ze!

'Sofie? Eva hier,' hoort ze de stem van haar tante, 'heb je gerend, kind?'

'Nee, nee, gewoon een beetje buiten adem', antwoordt Sofie.

'Zeg, heb jij *De Visie* gelezen?' vraagt Eva. Sofie haalt diep adem.

'Ja, net, toen ik uit school kwam. Erg hè?' Ze voelt haar wangen kleuren.

'Erg? Schandalig is het!' roept Eva.

'Ja, ik weet het... maar tante, die foto van mij, het is niet wat het lijkt...' reageert Sofie bedrukt.

'Ach lieverd, ik ken je toch! Ik weet natuurlijk dat het onzin is wat er staat en dat jurkje staat je beeldig, hoor. Maar het was beslist niet verstandig een feestje te geven in afwezigheid van je ouders. Ik had het niet goed gevonden als ik het geweten had, Sofie. Nee, het is de krant die ik schandalig vind. Om zoiets zomaar te plaatsen. Ze hadden jullie moeten bellen, je vader moeten benaderen en...'

Opeens herinnert Sofie zich het gesprek met de journalist.

'Ja, maar ze hebben ook gebeld! Ik heb met een journalist gesproken en papa's mobiele nummer gegeven. Maar ik wist niet dat het hierover ging, dat zei die man er niet bij. En van die foto's snap ik helemaal niks', zegt Sofie.

'Werkelijk bizar van Felix! Waarom doet hij zoiets, in godsnaam? Heeft hij enig idee wat de gevolgen kunnen zijn?' vraagt Eva.

'Het was voor een weddenschap, zei hij, hij had geld nodig', verklaart Sofie.

'Waanzin vind ik het! Hij wist vast niet dat ze die foto hebben genomen toen hij bezig was, denk je wel?'

'Nee, dat weet ik wel zeker. Hij schrok zich rot.'

'Mmm... ik ga uitzoeken hoe dat zit. Ik zal die krant eens een bezoekje gaan brengen', zegt tante Eva strijdlustig.

'Lukt dat wel? Gaat het al beter met je enkel?'

'Stukken beter. Nog een vraagje, Sofie. Hoeveel geld had jij vrijdag voor me gepind?'

'Driehonderd euro', antwoordt Sofie.

'Ja, dat dacht ik ook. Maar nu mis ik er tweehonderd.'

'Da's vreemd. Ik heb echt driehonderd gepind. Ik heb het geld in je portemonnee gedaan en die op het tafeltje bij de stoel gelegd, weet je nog?' vraagt Sofie. Dan voelt ze een steek in haar maag. Felix! Hij had de sleutel van Eva's huis in zijn zak! Hij had geld nodig! Zou hij misschien...

'Ja, dat klopt. Ach, ik informeer nog wel even bij mijn buurvrouw. Ze heeft wat boodschapjes voor me gedaan, misschien weet zij er wat van.'

'Ja, ik hoop het.'

'Je ouders landen morgen om twaalf uur, hè lieverd?'

'Ja, gelukkig wel, ik mis ze.' Zeker nu. O, wat moet ze met Felix aan?

'Dat begrijp ik. Als ze bellen, moet je nog maar niets over dat bericht in de krant vertellen, dat is zo rot voor je vader. En je moeder, tja... we weten wel hoe die zal reageren, hè, ik hoop dat jullie nog genoeg kalmeringspillen in huis hebben. Luister,

ik heb de burgemeester vanochtend al gebeld. Hij neemt contact met je vader op zodra die terug is. Daar hoeven jullie je dus geen zorgen over te maken. Hoe is het met Felix?'
'Die is ziek thuisgebleven van school vandaag. Gigantisch chagrijnig en een kater.'
'Van het feestje?' vraagt Eva.
'Ja, dat was nogal… druk.'
'Mmm, dan zal ik hem maar met rust laten. Zeg, weet je wat? Ik kom vanavond bij je generale kijken. Je kunt nu wel wat extra steun gebruiken. Hoe laat begint het?'
'Acht uur op school', antwoordt Sofie.
'Ik zal er zijn', belooft haar tante en legt met een haastige groet op.

Sofie blijft staan met de telefoon in haar hand. Haar knokkels zijn wit, ze houdt met haar vingers stevig het toestel omklemd. Durft zijzelf vanavond wel op het podium te staan terwijl alle mensen in het publiek denken dat ze een delletje is dat zonder moeite uit de kleren gaat? Tranen prikken in haar ogen. Dan voelt ze haar mobieltje afgaan in haar broekzak. Ze snuift en trekt het toestel tevoorschijn.
'Met Sofie', zegt ze zacht.
'Met Dolf.'
'Hoi', zegt ze onzeker.
'Hoi, lady in black', zegt Dolf lachend.
'Oooh… niet zeggen', kreunt Sofie maar ze glimlacht ondanks haar tranen.
'Wat een reclame voor ons toneelstuk, zeg, iedereen wil je nu komen zien, wedden?' zegt Dolf.
'Ik schaam me dood!'
'Nergens voor nodig, niemand gelooft die onzin, zeker je vrienden niet. Zal ik je straks komen halen voor de generale? Jikke en Ina fietsen ook mee', biedt hij aan.

'Ja, heel graag', antwoordt Sofie.

'En hoe is het met Felix? Wat een idiote actie.'

'Ja, het was een weddenschap om geld, hij moest wel, zei hij', antwoordt Sofie.

'Om die kale vent te kunnen betalen?'

'Ja. En iemand heeft blijkbaar stiekem foto's genomen. Felix schrok er zelf ook van.'

'Behoorlijk balen voor je vader.'

'Ja… mijn tante wil *De Visie* bellen, ze vindt het schandalig dat ze zo'n bericht zomaar plaatsen.'

'Vind ik ook. Nou, hou je taai, prinses, ik zie je straks', zegt Dolf. Zijn stem kalmeert haar.

Ze stopt de mobiel terug in haar zak en draait zich om naar de kamer. Een kruidige wietgeur drijft haar tegemoet. Felix verschijnt in de deuropening en staart haar aan.

'Wie was dat?' vraagt hij.

'Dolf. Hij en Jikke en Ina komen me straks ophalen.'

'En daarvoor?'

'Tante Eva. Ze heeft de krant gelezen en lost alles voor ons op totdat papa en mama terug zijn. Mazzel voor jou, anders was de politie je allang komen arresteren. En ze komt vanavond naar me kijken.' Sofie weifelt even en vraagt dan: 'En ze is geld kwijt… weet jij daar meer van? Jij hebt haar sleutel…'

Ze ziet zijn schouders verstrakken. Hij lijkt te willen ontkennen. Ergens hoopt ze dat hij dat doet. Maar zou ze hem dan geloven?

'Nee… ik heb het niet gestolen. Ik heb het geleend. Je hebt me toch niet verlinkt, hè?'

Sofie schudt haar hoofd heftig en zegt: 'Hoe kon je dat nou doen?! Als je het haar had gevraagd, had ze het je misschien gewoon gegeven.'

'Aan misschien had ik niks! Je weet waarom ik het heb gedaan!

En ik betaal het heus wel terug!'
'Maar wanneer? En hoe?' vraagt Sofie scherp.
'Vandaag of morgen. Ik stop het gewoon terug in haar porte-
monnee, zonder dat ze het merkt', zegt Fix en haalt zijn schou-
ders op, 'dat komt wel goed.'
'Dat kun je niet maken, Fix!'
'Weet jij iets beters te verzinnen, dan?' vraagt hij stekelig. Ze
zwijgt.
Hij lijkt even na te denken, kijkt haar dan aan en vraagt: 'Hoe
laat begint jouw voorstelling vanavond?'
'Om acht uur', antwoordt ze met tegenzin, 'maar je hoeft niet
te komen, hoor.'
Hij knikt en zegt dan kort: 'Ik zie wel. Nu ga ik pitten, ik voel
me klote.'

20.00
De zware velours gordijnen golven zacht boven het podium.
Een deinende, donkerrode zee. Daarachter zal zo het publiek
verschijnen. Sofie strijkt nerveus langs haar satijnen jurk en
zucht diep. Jikke fluistert in haar oor: 'Maak je niet druk, Sof,
het komt helemaal goed.'
Ze heeft zo vreselijk de zenuwen, van alles. Het gedoe met Felix doet haar meer dan ze dacht, haar vingers trillen. Jikke
vraagt zacht: 'Komt Felix ook kijken?'
'Misschien, wist hij nog niet. Maar van mij hoeft hij niet te komen', antwoordt Sofie.
'Ik snap helemaal dat je pissig bent. Echt stom van hem. Maar
ja, het blijft wel je broer, hè?' zegt Jikke terwijl ze haar schouders ophaalt. Ja, dat is hij, alsof Sofie dat niet weet! Ze liegt
voor hem, wordt bedreigd vanwege hem, ze wordt helemaal
ziek van hem! Dolf legt kort zijn hand op Sofies arm, knipoogt
en zegt: 'Als Victor Sanderein er maar is, toch?'

Sofie knikt en strijkt de voorkant van haar lange, roze jurk in de plooi.

'En nu, dames en heren, graag uw aandacht voor een van de eerste drama's van Shakespeare, anno 1588: De liefde verliest', besluit Bruno Vrens zijn welkomstwoord voor het gordijn. Het publiek begint te klappen terwijl de gordijnen langzaam openschuiven. Bruno daalt het trapje af naar de zaal en gaat op de eerste rij zitten. Sofie tuurt naar de mensen aan weerszijden van Vrens. Een van hen zou Victor moeten zijn. Ze knijpt haar ogen samen om de mannen beter te kunnen zien in de schemering. Ze weet nog precies hoe de man eruitzag die ze op de toneelschool ontmoette: gedrongen en stoer. De slager noemde hij zichzelf. Maar de mannen die naast Vrens zitten, lijken absoluut niet op een slager. De man aan de linkerkant is zo mager dat hij volgens haar nog nooit vlees heeft gegeten en de man rechts van Vrens is veel te jong. Misschien zit Victor ergens anders in de zaal? Straks maar eens vragen aan Vrens. Halverwege de zaal fladdert opeens een hand met knalrode nagels boven de hoofden van de toeschouwers. Tante Eva. Sofie zwaait zo onopvallend mogelijk terug. Het geklap verstomt en het toneelstuk begint.

Als de gordijnen zich sluiten voor de pauze en opnieuw applaus klinkt, rent Jikke over het podium naar Sofie toe.
'Zag je hem? Je broer? Hij kwam binnen net voordat de pauze begon', zegt Jikke opgewonden.
'Oh... leuk', antwoordt Sofie stug.
'Zullen we de zaal ingaan? Vragen aan Vrens of al die zware repetities zin hebben gehad?' stelt Dolf glimlachend voor. Sofie knikt en volgt Dolf het trapje af. Ze lopen naar Vrens toe, die geanimeerd staat te praten.
'Ah, Sofie en Dolf, kom erbij,' zegt Vrens hartelijk als hij hen

ziet, 'mag ik jullie voorstellen aan Victor Sanderein, de directeur van de toneelschool.'

'Maar...' stoot ze uit maar sluit dan snel haar mond weer. De grond lijkt onder haar voeten te zweven. Ze wankelt even.

'Sofie, gaat het?' hoort ze Dolf vragen. Hij kijkt haar oplettend aan.

'Ja, ja... sorry', antwoordt ze en ze schudt de uitgestoken hand van de magere man, die ze links van Vrens had zien zitten.

'Leuk met je kennis te maken, Sofie. Je speelt erg overtuigend', zegt hij vriendelijk.

'Oh, dank u wel', antwoordt ze en glimlacht beverig.

'Ja, Sofie is een van onze grote talenten. Ze zal zich straks vast bij je aanmelden, Victor, als ze haar diploma heeft', zegt Vrens.

'Nou, Sofie, je bent van harte welkom', knikt Victor vriendelijk.

Dan voelt Sofie een warme hand op haar arm en draait zich om. Tante Eva. Met een wandelstok. En achter haar Felix, met een grijns van oor tot oor.

'Je doet het geweldig, kind!' jubelt tante Eva enthousiast. Ze port Victor Sanderein even speels in zijn zij en zegt: 'Vindt u ook niet, meneer Sanderein?' De magere man knikt blozend. Dan buigt ze zich over naar Sofie.

'Hij en ik kennen elkaar van vroeger. Hij had een oogje op me. Lieverd, ik heb de krant vanmiddag gebeld. Het bericht en de foto's zijn anoniem binnengekomen. En die journalist die jou belde en het bericht liet opnemen in de krant, was een beginneling. De hoofdredacteur was laaiend, het had nooit mogen gebeuren. Morgen komt er een verontschuldiging, is me beloofd, ik heb ze woord voor woord gedicteerd wat ze moeten schrijven. En bovendien', ze geeft een dikke knipoog, 'heb ik ze laten beloven dat ze morgenavond hier komen kijken en een lange, lovende recensie over dit drama zullen schrijven.'

Eva kijkt even schuin naar Felix, die met zijn handen in zijn zakken naar Vrens lijkt te luisteren, en vervolgt dan zacht tegen Sofie:

'Ik heb ook even ernstig met je broer gesproken: hij heeft me beloofd zoiets raars nooit meer uit te halen. Hij noemde het een geintje, een weddenschap met jongens. Ik noem het volslagen idioot! Ik had hem het geld van harte gegeven, dat heb ik hem ook gezegd. Als familie moet je elkaar steunen.'

Sofie knikt. Waarom had Felix dat vertrouwen niet gehad? Dat had een hoop ellende gescheeld.

Ina komt aanlopen en slaat een arm om Sofies schouder: 'Jullie zijn fantastisch, Sof, ik ben zo trots op je!'

Victor Sanderein steekt een hand uit naar Ina en vraagt: 'En, jongedame, wil jij ook actrice worden?'

'Oh, nee,' antwoordt Ina beslist, 'ik ga later ontwikkelingswerk doen.'

'Hey Felix, wat leuk dat je er bent! Alles goed met je?' roept Jikke, die op hen af komt snellen.

'Ja, ik ben toch maar gekomen. Ik werd wakker en voelde me stukken beter. Leek me wel gaaf om jullie te zien optreden', hoort Sofie hem antwoorden. Sofie kijkt hem doordringend aan. Meent hij wat hij zegt of liegt hij? Die nep-Sanderein heeft haar ook al bedrogen. Waarom? Ze begrijpt er niets van, de hele wereld lijkt opeens wel een theater te zijn. Mensen die zich voordoen als iemand anders. Die nepperd heeft nu wel haar foto, naam en telefoonnummer. Wat zou hij ermee willen? Ze laat haar ogen over de mensenmassa gaan. In de verte, bij de ingang van de aula, meent ze een kaal hoofd te zien, een witte schedel. Even stokt haar adem. Die kale vent! Dan laat ze de lucht weer gaan. Dat zal ook wel een illusie zijn, verbeelding.

Felix – De aanklacht

Dinsdag 7.50

Felix ligt op zijn rug en staart naar het plafond. Hij ademt kort en snel. Shit, akelig gedroomd. Gus, spartelend tussen levende slangen. Gillend om hulp. Maar Felix kon zich niet bewegen, niets doen. Want hij werd onder water geduwd door Pim en Roy, steeds opnieuw, terwijl ze maar bleven schreeuwen om 'geld, geld!' Felix legt zijn hand op zijn borst. Het voelt daar bekneld, hij kan amper lucht krijgen. Rustig, rustig, het was maar een droom. Langzaam kalmeert zijn ademhaling. Hij draait zijn hoofd opzij naar de klok, hij kan net zo goed opstaan. Liever op school rondhangen dan hier wachten tot zijn ouders thuiskomen. Hij zal wel flink op zijn donder gaan krijgen. Ze zullen wel boos, of nee, teleurgesteld in hem zijn. En dat zeggen ze niet hardop, nooit, maar hij merkt het wel. Hij ziet het aan hun ogen, al lang, dat ze hem maar niks vinden. Ja, een loser, dat vinden ze hem. Dat is hij. Maar wat kan hij eraan doen? Pech, altijd maar pech. Het is als een modderplas waar je in stapt, niet wetend dat het eigenlijk een moeras is. Je wordt erin vastgezogen en komt bijna niet meer los. Maar het is hem toch maar mooi wél gelukt! Van die kale en Ludo is hij in ieder geval af. Dat met die krant gis-

teren was een vuile trap na van ze, had hij niet op gerekend. Smerige rotstreek van die kale om hem te fotograferen bij het gemeentehuis. En die andere kerel was waarschijnlijk op het feest in het boothuis en had daar die foto van Sofie gemaakt. Stelletje klootzakken. Hij schudt even zijn hoofd. Waarom? Vast alleen voor hun lol, om hem te jennen en te treiteren. Het loopt goed af dankzij tante Eva, daar heeft-ie mazzel mee. Met haar heeft hij het gisteravond al in orde gemaakt. Met Roy en Gus regelt hij het vandaag, dan is alles weer cool. Hij slaat de dekens van zich af en rekt zich uit. Dan buigt hij zich naar zijn nachtkastje en trekt de lade open. Hij haalt er een plat flesje whisky uit, draait de dop eraf en neemt een paar grote slokken. De drank brandt in zijn keel. Lekker, voelt hij tenminste weer leven door zijn lijf stromen. Hij schiet een spijkerbroek en sweater aan en schuift het mobieltje in zijn zak. Dan loopt hij naar zijn bed en grijpt onder zijn kussen. Een stapeltje bankbiljetten komt tevoorschijn en met een glimlach propt hij het geld in zijn achterzak. Daarmee kan hij de jongens straks betalen. Zo dadelijk op zijn gemak een blowtje en dan is hij klaar voor school. Zou sterallure-Sof al wakker zijn? Hij had het gisteravond bijna niet getrokken tot het einde. Niet om aan te zien, dat heen en weer gesjouw op dat podium in die belachelijke kleren. En dan dat gezeur over eer en liefde en onthouding. Het woord alleen al: onthouding. Nou, hij heeft er inderdaad niks van onthouden, van dat Shakespeare-gedoc. Hij trekt zijn kamerdeur open, gaat de trap af en loopt de keuken binnen. Sofie staat aan het aanrecht brood te smeren. Ze zegt zonder om te kijken: 'Hoi, jij bent vroeg op. Ga je naar school?'
'Ja, ik voel me weer pico bello.'
Ze richt haar blik op hem.
'Griffers zei gisteren dat je vaak spijbelt. Hij vroeg of ik er meer van wist', zegt ze.
'En wat heb je geantwoord?' Sofie draait zich helemaal naar

hem toe, het mes in de hand, en neemt hem met haar donkere ogen op.

'Nou, ik wist eigenlijk helemaal niet wat ik moest zeggen, Felix. Ik ken je eigenlijk niet... terwijl je nota bene mijn broer bent. Ik kom dit weekend achter een heleboel dingen die ik niet van je wist. Je drinkt, je blowt, je steelt, je spijbelt, je wedt, je liegt... wie ben je?' Haar stem trilt en hij ziet tranen in haar ogen staan. Nee, hè, ze gaat toch niet grienen, heeft hij helemaal geen zin in.

'Sof, relax. Je bent gewoon een beetje gespannen voor vanavond. Ik spijbel echt niet meer dan anderen, hoor, die Griffers overdrijft. En ik stond dit weekend gigantisch onder stress door die schuld. Maar ik heb alles toch goed opgelost? En ik was gisteravond bij je voorstelling! Welke broer heeft dat nou over voor zijn zus? Ik!'

Sofie glimlacht even onzeker en vraagt: 'Vond je het goed?'

'Je wilt graag dat ik eerlijk ben, hè? Het was niet he-le-maal mijn ding. Maar verder wel strak, hoor', antwoordt hij.

Ze keert zich weer om naar het aanrecht en vraagt: 'Zal ik voor jou ook boterhammen maken?'

'Nee, bedankt, doe ik zelf wel. Ik heb de tijd, eerste uur vrij', antwoordt hij.

'Oké, dan ben ik nu weg, ik moet nog even met de toneelgroep overleggen. Ik ben na de grote pauze al uit, dan zijn pap en mam weer terug. Hoeveel uur heb jij vandaag?' vraagt Sofie terwijl ze een zakje boterhammen in haar schooltas laat glijden.

'Zeven. Maar jij zegt niks tegen ze, hè,' zegt hij en voegt er dan snel aan toe: 'ik vertel het ze liever allemaal zelf.'

Ze aarzelt even en knikt dan.

Nog ff een extra blowtje, anders trekt hij het niet. Zo'n hele dag op school wil je liever niet al te wakker meemaken. Hij steekt het stickie aan en stapt op de fiets. Beetje doorkarren, dan redt-ie het net voor de bel. Felix rijdt de oprijlaan uit en draait de weg op. Hij fietst stevig door, binnen de gestippelde lijnen van de fietsstrook. Auto's passeren in een onafgebroken stroom. Plotseling zwenkt een auto zijn kant op. Hij wijkt uit en knijpt zijn vingers samen rond de handremmen. Net op tijd. Twintig centimeter voor hem, midden op de fietsstrook, is een zwartglanzende terreinwagen met verduisterde ramen gestopt. Het voorportier wordt geopend. Felix heeft zin om keihard weg te fietsen. De man die uitstapt is wel de allerlaatste waar hij trek in heeft. Het is de kale. Felix gooit zijn sigaret weg en wacht met een kloppend hart af.

'Hey loser, hoe is-ie?' vraagt de kale, terwijl hij op hem afloopt.

'Goed. Ben op weg naar school,' antwoordt hij. Verdomme, zijn stem piept.

'Zohoo… gaan we opeens braaf doen? O ja, pappie en mammie komen thuis vandaag, hè?' zegt de kale spottend.

Felix zwijgt. Hij wacht op wat komt.

'Ludo is de baas, dat weet je, hè? Ik doe wat hij zegt. En hij vindt jou zó interessant dat hij mij gevraagd heeft om jou te volgen. Dus dat doe ik. Ook gisteravond.'

Felix blijft zwijgen. Zijn hart versnelt.

'Ik ben naar school geweest en heb jou daar gezien. Ik weet wat je daar hebt uitgespookt. Ik heb het zelfs op foto. Haarscherp! Hoe jij in die tas van die mevrouw naast je zat te rommelen…'

Het is of een koude windvlaag door zijn ingewanden trekt. Die kale heeft verdomme gezien dat hij het geld terugstopte in tante Eva's tas. Felix durft zijn stem niet te gebruiken, bang dat die het niet doet. Sjesus, hoe erg kan het nog worden? Wanneer is hij verdomme van ze af, wat moeten ze nu nog van hem, wat willen ze!?

'Da's lullig, man. Gisteren zei je dat alles in orde was zo!' werpt Felix tegen.

'Tja, het slechte pad is glibberig. Daar kom je niet zomaar af.'

'Als je maar niet denkt dat ik me laat chanteren door jullie. Ik ga naar de politie en...'

De grote vingers van de man schieten razendsnel uit en grijpen rond Felix' keel.

'Eén ding, ventje. Nooit politie! Dan gaat je huis in de fik en jij erbij. Je houdt je mond anders loopt het slecht met je af', dreigt de kale.

Felix hijgt geschrokken en brengt uit: 'Oké, oké.' De kale trekt zijn hand weer terug.

'Goed zo, nu klink je weer verstandig. Ludo heeft nog een dringend klusje op te knappen. Als jij dat voor hem doet, krijg je de foto's terug. Dan ben je klaar. Wat vind je daarvan?' zegt de kale joviaal. Hij doet net of hij de hoofdprijs in de loterij uitdeelt, de klootzak.

Felix schraapt zijn keel en vraagt: 'Wat voor een klusje?'

De kale buigt zich vertrouwelijk naar hem toe en begint te vertellen. Felix moet zichzelf dwingen niet te vluchten voor de eisende woorden van de kale. Ze dwingen hem het moeras weer in, verder dan ooit. In de geblindeerde auto schuift het achterraam naar beneden. Er kringelt rook naar buiten.

Felix komt hijgend het lokaal binnenrennen. Griffers staat voor het bord, kijkt hem fronsend aan en zegt sarcastisch: 'Gewéldig dat je er bent maar je kunt direct weer vertrekken. De rector wacht al op je sinds vrijdagmiddag drie uur, weet je nog?'

In de klas wordt het doodstil.

'Ja, sorry, ik ben ziek geweest. Heeft Sofie dat niet doorgegeven?' vraagt hij.

'Dat was gisteren, Felix.'

'Ja, maar vrijdagmiddag was ik ook al niet lekker, meneer.'

Griffers zucht diep en wijst met zijn vinger naar de deur.

'Ga dat meneer Otters maar vertellen. Ik heb genoeg van je verhaaltjes, dan lees ik liever een boek.'

Felix haalt zijn schouders op, loopt de klas uit en blijft even besluiteloos in de gang staan. De deur van de klas gaat weer open. Het is Roy.

'Hey, man, heb je het geld bij je?'

'Ja, zeker weten. We regelen het in de pauze, oké? Moet nu eerst naar Snotters.'

'Nou, sterkte! Gus is er ook weer, heb je hem al gezien?' vraagt Roy.

'Nee, gisteren wel, toen was ik even bij hem in het ziekenhuis', antwoordt Felix.

'Cool dat je bij Gus was, tof van je', zegt Roy, 'en sorry dat ik je in het water heb gekieperd. Was echt niet mijn bedoeling.'

'Nee man, is wel goed. Jullie hebben mijn zus gered, staan we quite', reageert Felix.

'Wie was die kale zak? Je moest hem betalen, zei-ie… heb je dat al gedaan? Ben je van hem af?' vraagt Roy.

'Ja, dat is allemaal in orde nu. Praat er verder maar met niemand over. Pim ook niet. Anders krijg ik die klootzakken weer op mijn nek', antwoordt Felix. Nou ja, weer… ze zijn er nog niet eens af! Hij moet dat klusje opknappen. Vandaag nog. Maar wanneer? Hoe lang duurt zoiets? Geen idee. Als hij te lang wacht, zijn zijn ouders thuis en dan wordt het nog moeilijker. Ja, het moet nú gebeuren, geen keuze.

'Mooi, man. Ik ga klateren, zie je later', zegt Roy en hij loopt naar de wc. Felix twijfelt nog even en stevent dan met grote passen door de hal en trekt de buitendeur open.

'Het gaat wel even duren, we hebben het druk.'

'Hoe lang is even?' vraagt Felix gejaagd.

'Uurtje. Hij moet speciaal op maat gemaakt worden. Het is geen doorsneesleutel. Waar is-ie voor?' vraagt de man achter de balie nieuwsgierig.

'Weet ik niet. Ik doe ook maar wat me gezegd wordt', antwoordt Felix kort.

De sterke geur van leer en lijm dringt zijn neusgaten binnen. Wegwezen hier. Paar potjes darten in de soos en dan weer terug. Een uur later legt de man twee sleutels voor hem neer op de balie.

'En… kun je raden welke de nieuwe is?' informeert de man. Hij zet trots zijn handen in zijn zij.

'Nee, eigenlijk niet', antwoordt Felix.

'Het is voor leken ook niet te zien. Da's dan tien euro', zegt de man.

Felix haalt de bundel biljetten uit zijn achterzak en trekt er een biljet van tien euro tussenuit.

'Zo, jij loopt met veel geld op zak. Kijk maar uit voor rollers', waarschuwt de man.

'Ja, zal ik doen', antwoordt Felix en hij verlaat haastig de hakkenbar.

Twaalf uur zouden zijn ouders landen, het is nu halftwaalf. Hij moet opschieten.

Een kwartier later racet hij de oprijlaan in. Als hij het huis in zicht krijgt, slaat zijn hart een slag over. Shit! De blauwe jeep van tante Eva staat voor de deur. Hij stapt af en zet zijn fiets tegen de garage. Via de voordeur laat hij zichzelf binnen.

'Wie is daar?' hoort hij de heldere stem van tante Eva. Ze steekt haar hoofd om de hoek van de eetkamerdeur.

'Oh, ben jij het, Felix. Moet je niet op school zijn?'

'Ja, euh… ik was een werkstuk vergeten. Even van mijn kamer halen.'

'Ik zet wat bloemen voor je ouders neer. Ik heb alle post op het bureau van je vader gelegd, Felix, en hier is de sleutel. Weet jij waar de mijne is?' vraagt tante Eva, terwijl ze de sleutel op het halkastje legt.

'Ja, euh … ik pak hem wel even, ben zo terug', antwoordt Felix. Hij rent de trap op. In zijn kamer raapt hij de verfrommelde joggingbroek van de vloer en voelt hij in de zakken. Hebbes. Hij loopt naar zijn bureau. Verspreid op het blad liggen de vragenlijsten die hij meekreeg van de pedagoge in het ziekenhuis. Laat ze het maar lekker bekijken daar. Hij grist de formulieren bij elkaar, maakt er een grote prop van en mikt die in de prullenbak. Voorzichtig verlaat hij zijn kamer en gluurt over de trapleuning. Ze zal wel in de eetkamer zijn. Híj moet in de werkkamer van zijn vader zijn. Zachtjes daalt hij de trap af. Dan sluipt hij door de hal, langs de open eetkamerdeur, nog twee meter…

'Felix, heb je de sleutel? Ik moet gaan.'

Schichtig draait hij zich om – tante Eva staat in de hal, voor de eetkamer, steunend op een wandelstok – en geeft haar de sleutel aan.

'Kom mee, geef ik je een lift naar school', biedt ze aan.

'Nee, ik fiets wel, geen probleem', zegt hij afwerend.

'Geen sprake van. Ik wil mijn neef ook een keertje kunnen verwennen. Kom!' houdt ze aan. Wat nu? Bemoeiallerig mens! Ach, hij kan de sleutel straks eigenlijk ook wel terugleggen. Het belangrijkste is dat hij voor de kale een extra exemplaar heeft. En als hij nu meerijdt, is-ie wel mooi op tijd terug voor de pauze.

'Goed, ik ga mee.'

Samen lopen ze naar buiten. Tante Eva gaat achter het stuur zitten. Felix tilt de fiets achter in de auto en stapt in. Ze start de motor en brullend stuiven ze de oprijlaan af. Tante houdt van opschieten.

'Zeg Fix, als je Sofie straks ziet… wil je haar dan zeggen dat ik geen geld meer mis? Ik heb me blijkbaar vergist. Vanochtend wilde ik pinnen en had ik opeens toch weer tweehonderd euro, het lag los in mijn tas.'

Hij knikt en zegt: 'Gelukkig maar.'

Voor school stapt hij uit en pakt zijn fiets achter uit de auto.

'Bedankt voor de lift', zegt hij. Ze wuift en scheurt weg.

'Fix!'

Roy roept zijn naam. Felix kijkt zoekend over het plein en ziet Roy, met naast hem Gus en Pim. Ze wenken hem met heftige gebaren.

'Man, waar was je nou? Otters kwam bij Griffers in de klas vragen waar je bleef. En fluisteren dat ze deden, net twee meiden!' zegt Roy.

'Ja, ik moest dringend ff weg…' antwoordt hij vaag.

'Ze zijn woest op je, man!' zegt Pim opgewonden.

Felix haalt zijn schouders even op en zegt: 'Ik heb alleen maar een beetje gespijbeld, hoe erg is dat nou?'

'Verder alles goed? Je bent van die kale af, hè?' vraagt Gus.

'Ja', Felix forceert een glimlach, 'en jij bent gelukkig van je reuzenkater af!'

'Daarvoor verdient-ie een vette beloning', vindt Roy.

'Yep. Geld en drank', antwoordt Felix.

'Nou… doe mij maar geld. Drank hoef ik ff niet', antwoordt Gus.

'Huh?' vraagt Roy en trekt zijn wenkbrauwen op.

'Die arts zei dat ik een half jaar kalm aan moet doen met drank. Anders word ik een soort van dement', zegt Gus.

'Hah, dan ga je in je broek piesen', giechelt Pim.

'Precies! Heb ik dus geen zin in', lacht Gus.

'Kom, gaan we even naar het fietsenhok. Dan betaal ik jullie', stelt Felix voor.

Ze lopen met z'n vieren het lage, houten gebouw binnen. Felix trekt een bundel biljetten uit zijn achterzak en vraagt: 'Roy, hoeveel moet ik betalen?'

'Gus krijgt als winnaar vijftig euro. En omdat hij geen drank wil, krijgt hij extra geld. Ik denk dat honderd euro wel genoeg is, bij elkaar. Oké, Gus?' informeert Roy.

Gus knikt en grijnst breed als hij het geld aanneemt: een briefje van twintig, zes van tien en vier van vijf. Felix drukt de rest van de biljetten in de handen van Roy.

'Verdeel maar. Jij hebt de lijst bijgehouden. Jij weet hoeveel iedereen moet krijgen', zegt Felix. Roy knikt. Ze lopen het fietsenhok weer uit, het schoolplein op. De bel gaat en bij de toegangsdeur verschijnt Griffers, ziet Felix. De leraar tuurt het schoolplein rond en zijn blik blijft kleven aan hem, onafgebroken, terwijl hij en Gus op de school toe lopen. Als ze Griffers passeren, houdt die Felix staande en zegt: 'Kom jij maar met mij mee, ik breng je nu persoonlijk naar meneer Otters.'

Felix knipoogt even naar Gus en volgt Griffers door de aula, trapje op, gang door totdat ze voor een deur arriveren met het bordje: Th.S.N. Otters, rector. Griffers klopt op de deur.

'Binnen', klinkt een zware stem. Griffers opent de deur, laat Felix voorgaan en zegt: 'Hier is hij. Ik ga naar mijn klas.'

'Felix, kom verder', nodigt Otters hem uit, 'daar staat een stoel.'

Felix gaat tegenover de rector zitten, het bureau tussen hen in. Hij hoort de man ademhalen in de stilte die valt.

'Zo, Felix, vertel eens… heb je het naar je zin hier op school?' gonst de zware stem.

'Gewoon, zoals iedereen, denk ik', antwoordt Felix.

'Wil je de school graag afmaken en je diploma halen?'

'Ja, tuurlijk. Wat moet ik anders?'

'Er zijn ook beroepen waar je geen opleiding voor nodig hebt. Tenminste, geen studie die je op school volgt. Die beroepen leer je vooral in de praktijk', gaat Otters verder. Hij staat op van zijn stoel, kijkt op Felix neer en lijkt te wachten op een reactie.

'Zoals?' vraagt Felix. Waar wil Snotters naartoe?

'Inbreker. Dief.'

Het is of Otters hem in zijn maag stompt, Felix' ademhaling hapert.

'Nou… ik leer liever door voor een ander beroep, meneer', antwoordt hij zo kalm mogelijk.

'Is dat zo?' vraagt Otters. De stilte hangt als een dreigende, grijze wolk boven het stalen bureau. Otters slaat zijn armen voor zijn buik en zucht diep.

'Felix, ik had gehoopt dat je er zelf over zou beginnen. Maar je houdt je van de domme.'

'Oké, ik geef toe, ik heb gespijbeld. En gisteren was ik niet lekker', zegt Felix.

'Ja, dat weet ik. Maar dat bedoel ik niet.'

'Wat bedoelt u dan?' vraagt Felix.

Felix houdt zijn adem in en terwijl hij op het antwoord wacht, gaat zijn mobiele telefoon af in zijn zak.

'Mag ik hem pakken? Dat zijn misschien mijn ouders. Ze zijn net terug uit Cannes', zegt Felix.

'Ja, je vader zal je wel dringend willen spreken, denk ik, na dat feestje van je', zegt de rector scherp.

Felix trekt de mobiel uit zijn zak.

'Met Fix.'

'Heb je de sleutel?' snauwt een stem. De kale.

'Ja.'

'Dan moet je nú naar de Hangar komen.'

'Dat kan niet…' werpt Felix tegen.

'Kop dicht en komen. Nu!' De kale sluit het gesprek af.

'Ik moet het wel even aan de rector vragen', zegt Felix.

Hij houdt het toestel opzij en vraagt aan Otters:

'Mijn vader wil dat ik nu naar huis kom. Is dat goed?'

Otters knikt en zegt: 'Dan verwacht ik jou en je vader morgenmiddag om drie uur bij mij.'

'Ik kom eraan', zegt Felix in de mobiel en stopt hem terug in zijn broekzak. Dan staat hij op.

Ze kijken elkaar aan, de rector en hij, over het bureau heen.

'Felix, voordat je gaat… we weten van gisteravond. Daarover gaan we het morgen ook hebben', zegt Otters ernstig. Felix voelt het tollen in zijn maag. Nee!

Hij kijkt Otters aan en grijpt zijn vingers om het bureaublad.

'Nee, ik… ik…'

'Ontkennen heeft geen zin, Felix, we weten dat je het hebt gedaan.'

Maar… ik had geen keuze', zegt hij haperend.

'Er zijn altijd keuzes, Felix, maar daar hebben we het morgen wel over. Dan beslissen we ook of we aangifte van diefstal zullen doen.'

'Hoe weet u het?' vraagt hij schor.

'Van de conciërge. Hij zag je halverwege het eerste deel van het toneelstuk de hoofdingang binnenkomen, je liep de trap af naar de garderobe en de conciërge herinnerde zich dat het opvallend lang duurde voordat je weer boven was. Net voor de pauze zag hij je pas naar de aula lopen. En vanochtend vroeg kregen we allerlei telefoontjes over diefstal uit de garderobe. Geld dat uit jaszakken was gestolen. Er is niemand anders dan jij in de garderobe geweest tijdens de voorstelling.' Otters zwijgt veelbetekenend.

Felix voelt een overweldigende drang om te kotsen, te veel narigheid in zijn kop en lijf. Alles zit potdicht en muurvast. Eruit, het moet eruit. Hij is ingesloten en omsingeld, aan alle kanten. Hij moet weg. Weg! Hij laat voorzichtig het bureau los en zegt: 'Ik ga naar huis.'

Hij hoort niet meer wat Otters zegt en loopt de kamer uit, de aula door, naar buiten. Hij racet naar huis en gooit zijn fiets op de grond voor de garage. Hij opent de voordeur, vliegt de trap op, rent de badkamer binnen en draait de deur op slot. Hij trekt het medicijnkastje open en grijpt met bevende vingers een kokertje met witte tabletten. Mammies relaxpilletjes. Hij zet het buisje aan zijn lippen en leegt het tot de helft in zijn mond. Hij buigt zich over de wasbak, opent de kraan en neemt grote slokken, kokhalst en neemt weer slokken. Hij gaat rechtop staan en loost de rest van de pillen in zijn mond. Even kijkt hij zichzelf aan in de spiegel. 'Help me!' Zijn het zijn ogen die roepen? Of is het iets vanbinnen, zijn hart misschien? Alles is verloren. Hij heeft te veel pech. Felix heeft geen geluk. 'Ik breng niemand geluk. Ik kan er beter niet zijn!' . Hij laat de straal water in zijn mond lopen en slikt. En slikt. En slikt. Weer kokhalst hij, het is of hij verdrinkt in zijn eigen keel, hij snakt naar adem. Dan laat hij zich langzaam op de grond zakken en strekt zich uit op de witmarmeren vloer. Vloerverwarming. Wel hard maar niet koud. Hij sluit zijn ogen. Gestommel en geklop. 'Doe open, Felix!' Nee, laat me met rust, rust, rust, rust. Maximaal relaxen. Nooit meer pech. Nooit meer verliezen.

Sofie – De finale

Sofie rijdt de oprijlaan in. Haar ouders zullen nu wel thuis zijn. Ze had op school nog even gekletst met Dolf. Ze vindt het steeds gezelliger met hem, maar tegelijkertijd heeft ze het gevoel dat ze constant moet blozen als ze hem ziet. Eigenlijk zijn dat twee tegenovergestelde dingen. Ontspanning en spanning. De auto van haar vader is er nog niet, ziet ze. Zouden ze vertraging hebben? Ze stapt af, zet haar fiets tegen de muur en gaat via de bijkeuken naar binnen.

'Pap, mam!' roept ze voor de zekerheid door de hal. Geen antwoord. Ze loopt terug naar de keuken en pakt de waterkoker. Een kopje thee en een boterham. Ze zullen er zo wel zijn.

Net als ze de laatste hap wegkauwt, hoort ze dat de voordeur geopend wordt. Papa en mama? Ze staat snel op. Als ze de hal binnenloopt, ziet ze Felix de trap oprennen. Hij had toch zeven uur vandaag? Zou hij iets vergeten zijn?

'Felix!' galmt haar stem door het trappenhuis. Zijn voetstappen rennen over de overloop en dan hoort ze de badkamerdeur dichtslaan. Het slot wordt omgedraaid. Moest zeker nodig. Ze gaat terug naar de keuken en drinkt een tweede kop thee. Een vreemde onrust trekt door haar buik. Ze kan niet stil blijven zitten en loopt weer naar de hal. Ze hoort de kraan boven in de badkamer lopen. Lang. Het is of ze de trap wordt opgezogen. Voor ze het weet, staat ze op de overloop. De kraan staat nog steeds aan. Ze hoort zijn stem. Roepend. Om hulp?

'Ik kan er beter niet zijn' meent ze te horen. Haar hart begint wilder te slaan. Ze voelt dezelfde wanhoop opwellen als toen Felix kopje-onder ging in het water, spartelend, vechtend voor adem. Er is iets niet in orde.

Ze klopt op de deur en roept: 'Doe open, Felix!' Geen reactie. Ze klopt opnieuw. Beneden wordt de voordeur geopend en dan klinkt de schelle stem van haar moeder door de hal.

'Wat ge-wel-dig, die modeshow op Schiphol! Ben blij dat we die nog even meegepikt hebben, Rens, had ik niet willen missen.' Haar vader bromt een antwoord.

Sofie rent naar de leuning, hangt voorover en gilt: 'Pap! Kom naar boven! Er is iets met Felix!'

Haar ouders kijken verschrikt omhoog.

'Ik kom', reageert haar vader direct en rent de trap op. Haar moeder volgt langzamer.

Haar vader omhelst Sofie kort en vraagt: 'Wat is er aan de hand, schat?'

'Felix zit al heel lang op de badkamer en hij zegt niks', zegt Sofie angstig.

'Denk je dat er wat mis is?' vraagt haar vader en neemt haar onderzoekend op.

Sofie knikt heftig.

'Ik voel het, pap. Er is van alles mis... echt van alles', antwoordt ze en ze voelt tranen komen. Hij loopt naar de deur en klopt. Geen reactie. Dan slaat hij met een gebalde vuist op de badkamerdeur en roept: 'Felix!' Niets. Hij probeert de deur te forceren met een schouder, werpt zijn gewicht tegen het hout maar zonder effect. Sofie vouwt haar armen om haar buik en probeert zich te beheersen.

'Wat is er aan de hand?' hoort Sofie haar moeder vragen.

'Er is iets met Felix', antwoordt hij ernstig.

'Pap… volgens mij', brengt Sofie dan snikkend uit, 'heeft hij zichzelf iets aangedaan.'

Haar vader verstart en zegt kort: 'Bel 112, Sofie, nú!' Dan stormt hij de trap af.

Sofie trekt haar mobiel tevoorschijn. Haar moeder klampt zich vast aan haar arm en schreeuwt met overslaande stem: 'Wat doet Felix in de badkamer? Geef antwoord!'

Sofie schudt de hand van haar moeder af: 'Laat me bellen!' en tikt met klamme handen het nummer in. In korte zinnen legt ze de situatie uit. 'De ambulance komt er nu aan', belooft de vrouw. Sofie stopt de mobiel weg en keert zich naar haar moeder.

'Felix… hij kwam binnengerend en ging naar boven… hij sloot zich op in de badkamer… ik had zo'n akelig gevoel… ik ben zo bang dat hij zichzelf wat heeft aangedaan', antwoordt Sofie hortend.

'Oh god nee! Maar waarom dan!' jammert haar moeder. 'Hij heeft toch alles, álles!'

'Ik begrijp het ook niet. Mam, er is echt van alles gebeurd toen jullie weg waren. Het was vreselijk', brengt Sofie uit.

Haar vader komt de trap opstormen met een bijl. Hij lijkt Sofie niet te zien, ze springt aan de kant. Terwijl haar moeder hysterisch begint te gillen, hakt haar vader met al zijn kracht de deur aan stukken. Dan trapt hij het hout uit de sponning. Hij loopt de badkamer binnen en schreeuwt: 'Felix! Oh nee, wat heb je gedaan?! O, mijn jongen toch…' Zijn stem sterft weg en Sofie hoort hoe hij zacht begint te huilen. Haar moeder drukt haar handen voor haar mond en weigert in de richting van de badkamer te kijken. Sofie heeft hetzelfde, bang voor wat ze te zien zal krijgen. De deurbel rinkelt. Sofie rent de trap af en laat een man en een vrouw van de ambulance binnen. Ze dragen een brancard.

'Boven op de badkamer', zegt Sofie schor. Ze durft de trap niet meer op te klimmen, vertrouwt haar trillende benen niet. Ze gaat op de onderste tree zitten, slaat haar armen stevig om zichzelf heen en huilt. De tranen komen overal vandaan, uit haar buik, haar hart en haar hoofd.

'Mogen wij passeren?' klinkt een vriendelijke maar dringende mannenstem. Ze springt op en veegt haar tranen uit haar ogen. Felix komt voorbij op de brancard, zijn gezicht lijkbleek boven een feloranje deken, zijn ogen gesloten. Daarna haar vader en moeder. Sofie volgt hen naar buiten. Felix wordt in de ambulance geschoven. Haar moeder geeft haar vader en Sofie een kus.

'Rens, blijf jij hier met Sofie, laat haar even bijkomen. Felix is niet in levensgevaar, ik ga met hem mee. Dan komen jullie straks. Ik bel zodra ik meer weet', zegt haar moeder. Haar gezicht is rood en pafferig maar ze is ongewoon kalm en haar stem klinkt beheerst. Haar vader knikt en slaat zijn arm om Sofies schouders. Sofie heeft het gevoel dat hij steun bij haar zoekt, meer nog dan dat hij het haar geeft. Hij staat roerloos naast haar als de ambulance wegrijdt.

'Wat is er gebeurd, pap?' vraagt ze hees.

'Te veel kalmeringspillen, denken ze, maar waarschijnlijk geen overdosis', antwoordt haar vader. Zijn stem is toonloos.

De stilte om hem heen is bijna tastbaar, juist wat haar vader niet zegt, is hartverscheurend. Ze heeft hem zelden zien huilen maar nu rollen de tranen over zijn wangen. Ze durft het niet te vragen, maar moet het weten: 'Komt het weer goed met Felix, pap?'

Hij zucht diep, wrijft met een mouw de tranen van zijn gezicht en kijkt haar aan.

'Ja,' zegt hij dan vastbesloten, 'absoluut.'

Ze lopen naar binnen. In de hal klemt haar vader zijn handen rond haar bovenarmen en vraagt: 'Boven zei je dat er van alles mis was. Sofie, wat is er allemaal gebeurd?'

'Veel... heel veel', antwoordt Sofie, 'afgelopen weekend met Felix... pap, het was of ik met een vreemde in huis woonde. Hij deed zulke bizarre dingen.'

Haar vader legt zijn arm rond haar schouder en zegt: 'Kom, we gaan naar mijn kamer. Praten.'

Als haar vader achter zijn bureau gaat zitten, haalt hij twee sleutels uit zijn zak die hij voor zich neerlegt.

'Deze sleutels had Felix in zijn broekzak. Ze zijn van het gemeentehuis. Weet jij wat hij daarmee moest?'

Sofie gaat tegenover haar vader zitten en antwoordt: 'Geen idee, pap... nou, misschien heeft het te maken met die rare kerels die geld van hem wilden hebben.'

'Rare kerels?' vraagt haar vader en een dreigende frons verschijnt op zijn voorhoofd. Dan vertelt ze hem alles, houdt niets meer geheim. Haar vader luistert zonder haar te onderbreken. 'En in de krant van maandag stond ook nog een heel akelig bericht over ons', besluit ze en wijst naar de kranten op het bureau.

Haar vader tilt gehaast de brieven en kranten op die voor zijn neus opgestapeld liggen, op zoek naar de krant van maandag. Onder de stapel komen een paar foto's tevoorschijn, ziet Sofie. Ze kijkt ernaar, voelt een hete golf door haar maag gaan en trekt de foto's naar zich toe. Haar vader staat erop. Ze herkent ook twee andere mannen.

'Pap, wie zijn dit?' vraagt ze, terwijl ze de twee mannen aanwijst en ademloos het antwoord afwacht.

De telefoon op het bureau gaat. Haar vader knikt even naar haar en neemt met een haastige beweging op.

…

'Meneer Otters?' reageert hij dan weifelend.

…

'Ah, natuurlijk, de rector. Het spijt me.'

…

'Felix ging dus halsoverkop weg?'

…

'Ja, uw ongerustheid is terecht. Hij heeft geprobeerd zelfmoord te plegen. Hij is net naar het ziekenhuis gebracht, bewusteloos.'

…

'Dank u, tot ziens.'

'Wat is er?' vraagt Sofie.

Haar vader zucht diep en antwoordt dan: 'Felix heeft op school geld gestolen. Gisteravond, uit de jassen van de toeschouwers, toen jullie de generale hadden.'

Sofie steunt: 'Oh, nee…'

'En toen de rector hem daarmee confronteerde, vluchtte Felix weg. De rector was er niet gerust op en daarom belde hij.'

'Oh pap… wat heeft Felix allemaal gedaan waarvan wij niet weten?' zucht Sofie.

'Ja… en wat is hem allemaal aangedaan waarvan wij niet weten? Wat heeft hij allemaal in zijn eentje doorstaan?' zegt haar vader somber. 'Dat zal allemaal nog blijken.'

Ze zwijgen even. Dan schraapt haar vader zijn keel en zegt: 'Je vroeg wie er op deze foto staan? Dit', en hij wijst op een gedrongen man, 'is Ludo Blinds, de eigenaar van de Hangar. We hadden een bespreking met hem over het gebruik van alcohol in zijn zaak. Of liever gezegd, het misbruik ervan. We hebben zijn zaak voorlopig gesloten wegens rellen... dronken jongeren die vochten. Deze week gaan we verder met overleg. Het ziet ernaar uit dat hij zijn vergunning gaat verliezen.'

Het voelt of het bloed in haar wangen kookt. Hij is dus geen toneelschooldirecteur, en ook geen slager maar een misdadige kroegbaas, denkt Sofie giftig.

'En deze man?' Sofie prikt vinnig op het kale hoofd.

'Dat is zijn bodyguard. Hugo Fatalis. '

Sofie haalt diep adem en zegt ferm: 'Dat zijn de mannen die Felix bedreigden.'

Haar vader kijkt haar scherp aan en vraagt: 'Weet je dat zeker?'

Ze knikt.

'Misschien zitten zij ook wel achter dat krantenbericht', oppert ze.

Haar vader graait tussen de kranten en plukt de editie van maandag eruit. Hij bladert totdat hij abrupt stopt. Zijn ogen rennen over de pagina. Met een klap legt hij de krant terug op zijn bureau en valt uit: 'Welke idioot heeft dit durven plaatsen?!'

'Rustig, papa, ze hebben het per ongeluk geplaatst. Tante Eva heeft het al opgelost. Het was anoniem binnengekomen bij de redactie.'

Haar vader schudt zijn hoofd en vloekt binnensmonds.

'Anoniem!? Blinds zit erachter, vast en zeker. Ik ga de burgemeester bellen.'

'Heeft tante Eva ook al gedaan. Hij zou jou bellen, zei ze.'

'Nee, dit kan niet wachten. Dat jullie de dupe worden van mijn functie, dat gaat te ver! Er moeten onmiddellijk stappen worden ondernomen!'

Hij pakt de telefoon en tikt een nummer. Terwijl hij op verbinding wacht, speelt hij met de twee sleutels die op zijn bureau liggen. Hij pakt er een op en zegt hard: 'En deze was natuurlijk ook voor Blinds. Om het gemeentehuis binnen te komen en daar rond te neuzen. Ze hebben Felix onder druk gezet, de schoften! Nee, jij niet, sorry…'

…

'Ja, ik heb het net gelezen. Iemand heeft mijn gezin in een kwaad daglicht gesteld om mij in diskrediet te brengen.'

…

'Ik weet wel bijna zeker wie erachter zitten: Blinds van de Hangar en zijn bodyguard. Sofie zegt dat ze Felix, haarzelf en hun vrienden ook persoonlijk hebben bedreigd. We moeten er onmiddellijk politie op zetten.'

…

'Felix? Die ligt in het ziekenhuis. Hij heeft te veel kalmeringspillen genomen. Waarschijnlijk door de druk, ik weet het niet. Ik wacht op een telefoontje, dus laten we het kort houden.'

…

'Bedankt. We hebben het er morgen nog wel over. Dag.'

Twee uur later loopt Sofie naar boven om zich om te kleden voor de voorstelling. Het was een onwerkelijke middag geweest. Ze had thee gezet voor haar vader terwijl ze wachtten op telefoon uit het ziekenhuis. Haar moeder belde dat alles goed ging met Felix, zijn maag was leeggepompt, hij was stabiel en rustig. Er zouden nog meer onderzoeken volgen. Haar moeder zou in het ziekenhuis blijven en ze spraken af dat haar vader en zij na de voorstelling naar het ziekenhuis zouden komen. Eigenlijk hadden ze eerder willen gaan, direct op dat moment al, maar de kinderarts had verteld dat Felix waarschijnlijk pas laat in de avond wakker zou worden. Felix sliep en zou beter worden, haar vader en zij huilden van blijdschap. Haar vader ging pizza's halen. 'Hoe kan ik vanavond spelen?' had ze haar vader onder het eten gevraagd. Ze had wel eens gehoord over actrices die optraden terwijl hun moeder net overleden was. 'The show must go on. Je helpt niemand door niet op te treden, ik ga met je mee, zit in de zaal en zal bij ieder woord naast je staan, schat', had haar vader gezegd. 'We doen het samen', waren zijn letterlijke woorden geweest. Voordat ze naar de badkamer gaat, loopt ze even Felix' kamer binnen. Het is er een chaos. Kleren liggen verfomfaaid op de grond, het bureau is bezaaid met boeken, laag op laag. De prullenbak puilt uit met proppen papier. En onder het bed, nog net zichtbaar, ligt de geluksarmband. Ze raapt hem op, sluit hem liefkozend in haar palm en zegt hardop:

'We doen het samen, Felix, jij en wij.'

Als ze weer beneden komt, gaat de telefoon. Ze neemt op in de hal.

'Dag schat, met mama. Is papa er?'

'Ja… het gaat toch wel goed met Felix?' vraagt Sofie angstig.

'Felix slaapt rustig. De kinderarts wil vast even wat bespreken met papa. Kun je hem even geven? En jij heel veel succes vanavond, schat, ik zal aan je denken.'

'Dank je wel mam, hier is papa, tot straks', antwoordt Sofie. Haar vader staat achter haar en pakt de telefoon aan.

'Dag lief.'

…

'Dokter Niek van der Roos? Goed.'

…

'Rens Verpoort, goedenavond.'

…

'O, u kent Felix?'

…

'Wat mijn indruk van hem is? Het is een vrij rustige jongen. Veel weg. Praat niet veel, nogal gesloten. Geen speciale hobby's of interesses. Redelijke cijfers, een keer blijven zitten, dat wel,

maar dat is geen ramp. En verder… nee, is me nooit iets ver-
ontrustends opgevallen. Tenminste, niet tot vandaag.'

…

'Wat zegt u! Verslaafd aan drank?'

…

'God, dat is vreselijk… hoe hebben we dat niet kunnen merken…'
Sofie ziet haar vaders handen trillen.

…

'Afkicken in een kliniek, zegt u?'

…

'Als u denkt dat dat het beste is, dan doen we dat. Zo snel mogelijk, absoluut!'

…

'Morgen om elf uur alles regelen? Ja, ik zal er zijn. Vanavond
komen mijn dochter en ik ook nog even, misschien zien we u
dan wel.'

…

'Dank u zeer, dokter van der Roos. Tot ziens.'

…

'Jenny, het is niet te geloven! Een nachtmerrie is het.'

…

'Ja, we gaan meer tijd thuis doorbrengen, dat staat vast!'

…

'We praten vanavond verder, lief. Ik ben trots op je, je houdt je
heel sterk. Tot straks.'

…

Haar vader zet de telefoon neer en draait zich naar Sofie om.
Hij kijkt haar verbijsterd aan.
'Hoe kan Felix verslaafd aan alcohol zijn? Hoe is het mogelijk?'
brengt hij uit.
Sofie kreunt en schudt haar hoofd.

'Ik weet het niet, pap. Op het feestje dronk hij wel veel. Hier thuis dronk hij ook, heb ik gezien. Maar we wisten wel meer niet van hem… omdat hij deed alsof. Hij deed alsof hij niet ongelukkig was', zegt ze zacht. Ze kijken elkaar aan. Twee paar donkere ogen, vol van tranen.

'Zullen we toch even bij Felix gaan kijken, schat, voordat je moet optreden?' stelt haar vader voor.

'O ja, dolgraag', antwoordt Sofie.

Sofie staat op het podium. Kon ze vanmiddag maar wissen – delete all – maar het is gebeurd. Het is niet langer alleen theater, ook in werkelijkheid wint de liefde blijkbaar niet altijd. Want de liefde van haar ouders en haar voor Felix was niet tot hem doorgedrongen, hij had zich erg eenzaam gevoeld, had hij gezegd. Hij verloor altijd, was niets waard, kon er beter niet zijn, dacht dat niemand om hem gaf, had hij gefluisterd in haar oor, in het ziekenhuis, toen hij even wakker was. Had hij werkelijk om hulp geschreeuwd in de badkamer, voordat zij er was? Ze verbeeldt zich zijn wanhopige roepen te horen: 'Help me!' En daarna de stilte, angstaanjagender dan geschreeuw, die zij gehoord had toen ze op de badkamerdeur klopte.

Jikke duwt in haar rug. 'Jij bent zo aan de beurt', fluistert ze. Sofie haalt zichzelf terug en richt haar blik op het toneel, op het publiek in de zaal en op Dolf. Hij kijkt haar met zijn donkerbruine ogen indringend aan.

Smekend zegt hij: *'Voordat u vertrekt: schenk ons uw liefde, alstublieft.'*

Sofie voelt tranen branden in haar ogen. Felix vertrok… zijn lijkbleke gezicht, doodstil op de brancard. Zonder hun liefde, hij dacht echt dat ze niet van hem houden, oh god. Ze legt een hand op haar hart, daar doet het pijn. Dolf loopt naar haar toe – wat is hij van plan, hij valt uit zijn rol – en slaat een arm om haar heen. Snel fluistert hij in haar oor: 'Ga door, prinses, je bent prachtig.' Een warme gloed trekt door haar borst.

Ze ademt diep en antwoordt:
'Nee, zo snel kan ik zo'n belangrijk besluit niet nemen,
en uw eed alleen vertrouw ik niet,
dat zijn maar woorden en geen daden.
Als u werkelijk zo veel van mij houdt als u zegt, doe dan dit:
leid een kluizenaarsbestaan zonder pleziertjes,
twaalf sterrentekens lang;
als dat eenzame jaar het vuur van uw vraag, gesteld in passie,
niet zal kunnen doven, als vorst en vasten en waken,
de bloesem van uw liefde niet zullen laten sterven,
als u deze liefdesproef kunt doorstaan,
kom dan, aan het einde van het jaar, om me opnieuw te vragen,
en neem dan mijn hand'
– Sofie legt haar hand in die van Dolf –
'die nu de uwe raakt, want dan zal hij van u zijn.
Maar als u de proef weigert, laat onze handen dan nu scheiden,
dan hebben wij geen recht op elkaars hart en zijn wij elkaar niet waard.'

Felix! Hij krijgt ook een kluizenaarsbestaan, realiseert Sofie zich opeens. In de kliniek. En als hij het volhoudt om af te kicken, zal hij hun liefde ook weer kunnen voelen. Zes maanden minimaal zal hij wegblijven, zei de kinderarts vanavond. Zes sterrentekens lang, morgen vertrekt Felix al. De stemmen van de hofdames, edellieden en koning dringen zacht tot haar door. Ze probeert zich te concentreren, ze is weer aan de beurt.

De prinses zegt tegen de koning:
'Mijn geliefde heer, ik zal nu moeten gaan.'

'Ach, mijn dame, laat ons u alstublieft begeleiden',
dringt de koning aan.

'Nee, heren, wij treffen elkaar weer over een jaar. Adieu',
zeggen de prinses en hofdames, terwijl ze van het podium verdwijnen.

'Onze liefde heeft geen gelukkig eind,
ze noemen dit toneelstuk een drama
maar het had net zo goed een tragedie
of zelfs een komedie kunnen heten:
zo lachwekkend zielig blijven we achter',
klaagt lord Berowne.

'Kom, kom, de liefde heeft niet verloren,
zij wordt slechts op de proef gesteld,
het duurt maar een jaar,
en dan is de beproeving voorbij',
zegt de koning.

'Dat is veel te lang voor een drama of een komedie',
sluit lord Berowne het drama zuur af.

Een open einde, heel ongebruikelijk voor toneelstukken in die tijd, had Vrens gezegd. Maar niet voor het echte leven, denkt Sofie, de realiteit is onvoorstelbaar onvoorspelbaar.
De hele groep gaat het podium weer op om het applaus in ontvangst te nemen. Sofie staat tussen Dolf en Jikke, hand in hand. Het klappen klinkt als een prachtig concert, vindt ze.

Dit iedere dag beleven, is wat ze wil. Ze kijkt de zaal in, over de koppen van het publiek tuurt ze, op zoek naar haar vader. Daar is hij! Naast tante Eva. Hij klapt en steekt zijn duim omhoog. Dolf maakt zijn hand zacht los uit de hare, loopt het trapje van het podium af en nodigt Vrens uit op het podium te komen. Schoorvoetend volgt Vrens Dolf het toneel. Dolf komt weer naast haar staan en Vrens buigt, voorzichtig alsof hij bang is zijn rug te breken, voor het publiek. Als het applaus eindelijk is weggestorven, verlaat iedereen het toneel. Sofie, Dolf en Jikke lopen samen naar de kleedkamers.

'Ga je zo weer naar Felix?' vraagt Jikke.

Sofie knikt.

'Wil je hem dan mijn groetjes doen en een knuffel geven?' vraagt Jikke zacht.

'Doe ik', zegt Sofie. Jikke gaat de meisjeskleedkamer binnen, Dolf houdt Sofie tegen bij de kleedkamerdeur. Hij kijkt haar lang aan, ze voelt haar wangen gloeien.

'Tijd om weer onszelf te worden, Sofie, of wil je mijn geliefde prinses blijven?' vraagt Dolf zacht.

Oh, hij... hij wil verkering! Nu niet in paniek raken, Sof!

'De rol is me op het lijf geschreven, geloof ik, dus ja... dat wil ik wel', antwoordt ze verlegen. En daarna, voluit, zonder haar gevoel te maskeren: 'Dolf, ik vind je super!'

Hij buigt zich naar haar over en kust zacht haar lippen. 'Ik jou ook. Tot zo', fluistert hij en loopt door naar de jongenskleedkamer. Sofie blijft bewegingloos staan. Dít, dit voel je dus als iemand speciaal van je houdt, als de liefde wint. Vol en rijk ben je dan, het is of je een hoofdprijs gewonnen hebt. Dat zal ze straks tegen Felix zeggen! Ze zal zeggen: 'Felix, je zult nooit meer verliezen, want de liefde wint!'